Paris
La cathédrale
Notre-Dame

par Thierry Crépin-Leblond,
conservateur du patrimoine,
secrétaire général des Amis de Notre-Dame de Paris

Paris
La cathédrale Notre-Dame

La construction de Notre-Dame de Paris, cathédrale✦ gothique par excellence, a duré plus de cent soixante-dix ans : le chantier fut commencé par l'évêque Maurice de Sully à la fin du XIIᵉ siècle et s'acheva au début du XIVᵉ siècle. La restauration entreprise par Eugène Viollet-le-Duc au milieu du XIXᵉ siècle a permis de restituer la beauté originelle de la cathédrale voire de l'embellir, Notre-Dame ayant particulièrement souffert des injures du temps et des hommes.

Par la simplicité du dessin et le style de sa décoration, la façade occidentale a exercé une influence considérable dans l'Europe entière. Ses trois portails✦, les deux galeries, la rose✦ et ses deux tours sans flèche✦ ont bénéficié récemment d'une campagne majeure de restauration – elle s'est achevée en décembre 1999 –, avec notamment l'emploi du laser. Par le jeu de ses butées et contre-butées, le chevet✦ de Notre-Dame a souvent été comparé à un vaisseau : ce chef-d'œuvre de pierre, d'apparence fragile, évoque une nef et ses rames, posée sur la Seine.

À l'intérieur de la cathédrale, le visiteur est saisi par l'ampleur de l'architecture, la somptuosité du décor du chœur✦, la variété des collections de mobilier et d'objets d'art, l'exceptionnel ensemble de toiles peintes par les plus grands artistes des XVIIᵉ et XVIIIᵉ siècles, les pièces du trésor largement ouvert...

La cathédrale de la capitale fait souvent figure de cathédrale pour la France tout entière : Notre-Dame est associée aux grands événements nationaux et son parvis sert de point de départ pour le calcul des distances « depuis Paris ».

partielle
a Grande Galerie
c la statue
'ange ornant
gnon de la nef.

Les termes suivis d'un quadrilobe✦ sont expliqués dans le glossaire en fin d'ouvrage.

Histoire

Extérieur

Intérieur

Annexes

CLOVIS·PREMIER   ROY CRESTIEN

Les origines

L'île de la Cité

Au début du IVe siècle, l'île située au milieu de la Seine est fortifiée : elle abrite quelques grands monuments publics et le principal port de marchandises de la ville gallo-romaine de Lutèce. L'édification, sur un soubassement de gros blocs de remploi, d'un rempart dont on ignore toujours s'il était ou non renforcé de tours entraîne un important exhaussement du sol de l'île. L'enceinte, dont on connaît encore mal le détail du tracé, conditionne durablement l'urbanisation de l'île : la distinction s'établit vite entre ses pointes orientale, consacrée au spirituel, et occidentale, dévolue au temporel, séparées par une rue transversale joignant les deux ponts jetés sur la Seine.

L'existence d'un évêque de Paris est attestée dès 346. Prélat durant les premières décennies du Ve siècle, l'évêque Marcel est surtout connu pour ses miracles, relatés entre 566 et 576 par le poète Fortunat, qui mentionne aussi dans son récit la présence d'une *ecclesia*✦ à l'intérieur des murs de l'île de la Cité. La conversion de Clovis vers 496 et le choix de Paris comme capitale du nouveau royaume franc confèrent une importance particulière au diocèse de la ville. Dès le VIe siècle, celui-ci est suffisamment important – particulièrement sous l'épiscopat de Germain (558-576) – pour accueillir une série de conciles. Charlemagne et ses successeurs confirment les privilèges de l'Église de Paris. L'avènement des Capétiens renforce considérablement l'alliance entre celle-ci et la monarchie.

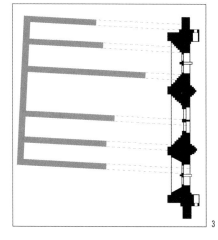

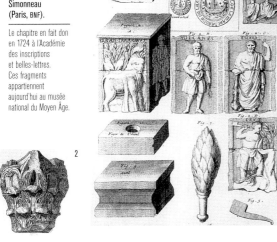

1. Antiquités exhumées sur le parvis en 1711 - dessin et gravure de Philippe Simonneau (Paris, BNF).

Le chapitre en fait don en 1724 à l'Académie des inscriptions et belles-lettres. Ces fragments appartiennent aujourd'hui au musée national du Moyen Âge.

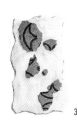

2. Chapiteau en marbre blanc retrouvé lors des fouilles du parvis en 1847, déposé au musée de Cluny - gravure de Huyot d'après Albert Lenoir (Paris, BNF).

3. Fragments de mosaïques retrouvés lors des fouilles de 1847 - relevé d'Albert Lenoir, dans *La Statistique monumentale de Paris*, 1867.

L'ancienne cathédrale

L'existence, sous le parvis et la cathédrale actuels, d'un édifice à cinq vaisseaux✦ de 70 à 80 mètres de long, est prouvée par la découverte en fouilles de fragments de mosaïques, de colonnes et de chapiteaux de marbre. Certains pensent qu'il y avait là une basilique✦ antique qui pouvait rivaliser avec celles de Rome et dont la façade ornée de tours aurait été ajoutée postérieurement, à l'époque mérovingienne (VIe-VIIe siècle).

L'exhumation de chapiteaux d'époque mérovingienne a suscité une autre interprétation : l'édification d'un bâtiment à l'initiative d'un descendant de Clovis, peut-être Childebert Ier (511-558), auquel Fortunat attribue la construction ou, au moins, l'embellissement d'un important édifice religieux. Fait courant à l'époque, des éléments d'architecture antique y auraient été remployés. Les textes postérieurs attri-

buent à ce grand édifice, utilisé jusqu'au milieu du XIIe siècle, le patronage du diacre✦ martyr saint Étienne.

Si l'on y ajoute l'église Saint-Jean-le-Rond, baptistère cité dès le VIe siècle où les marguilliers✦ de Notre-Dame entretenaient encore au XIIIe siècle une grande cuve d'eau, et si l'on interprète la petite abside✦ découverte au XIXe siècle sous le chœur actuel comme le chevet de la chapelle du palais épiscopal – ainsi localisé à l'est de l'église Saint-Étienne –, on obtient les éléments constitutifs d'un groupe épiscopal✦. Cet ensemble, contenu dans les limites du rempart romain, occupait donc toute la partie orientale de l'île ; il comportait en outre les maisons canoniales et un hôpital.

Le règne de Louis VII le Jeune (1137-1180) marque une étape importante : d'un côté, le roi fortifie le pouvoir de l'évêque en renonçant en partie à ses droits propres – notamment la saisie des biens mobiliers du palais épiscopal à la mort du prélat –, de l'autre, il lui impose le partage des nombreux revenus tirés de l'activité économique en pleine expansion sur la rive droite et cherche à diminuer son pouvoir temporel (en particulier ses droits sur la voirie).

La cathédrale elle-même est assez peu citée dans les textes : Louis VI le Gros (1108-1137) accorda pour son entretien une partie des revenus de l'évêché pendant la vacance du siège épiscopal. Étienne de Garlande, archidiacre✦ de Paris et favori du roi, fait faire à l'édifice des « réparations décentes », c'est-à-dire des travaux d'ampleur.
D'autres témoignages, en dehors des textes, confirment que des travaux importants ont été réalisés : un vitrail représentant le triomphe

de la Vierge offert par Suger, abbé de Saint-Denis (†1151), détruit au XVIIIe siècle ; un portail orné de statues-colonnes, consacré à la Vierge, remonté dans le portail Sainte-Anne de la cathédrale actuelle. Certains fragments encore en place ou trouvés au cours de fouilles semblent correspondre à un portail du Jugement dernier. Le style des sculptures permet de le dater vers 1145, faisant de ce portail une œuvre contemporaine des travaux de Suger à Saint-Denis. On pourrait voir là l'influence de l'évêque Thibaud II (1144-1158), qui connaissait bien les nouvelles tendances de l'architecture pour avoir, comme prieur, suivi les travaux à Paris des églises prioriales de Saint-Martin-des-Champs et de Saint-Pierre de Montmartre. Il semble en outre avoir bénéficié de la faveur royale : c'est lui qui accueille solennellement le pape Eugène III à Notre-Dame en 1148.

4. Vue intérieure de la chapelle Saint-Aignan, édifiée avant 1119 pour l'archidiacre Étienne de Garlande qui en fit don au chapitre de Notre-Dame.

La partie nord-est de la Cité se modifie avec la multiplication des maisons canoniales indépendantes, chacune dotée de sa chapelle et quelquefois d'une tour. La chapelle de l'archidiacre Étienne de Garlande, dédiée à saint Aignan, donnée au chapitre♦ cathédral en 1119, existe toujours. Elle est avec l'église abbatiale de Saint-Germain-des-Prés l'un des monuments religieux les plus anciens qui subsistent à Paris.

5. Le vitrail du pélican offert par Suger à Notre-Dame - dessin d'un fragment par Émile Lecomte, dans *Notre-Dame de Paris*, 1841 (Paris, MAP).

XIIᵉ siècle : le grand projet de Maurice de Sully

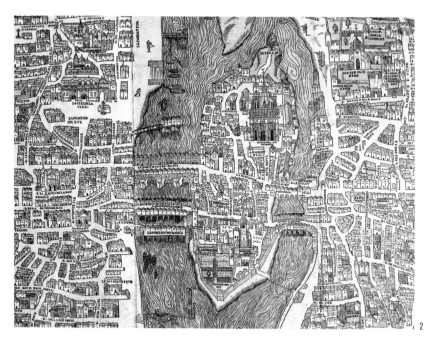

Succédant à Pierre Lombard (1159-1160), l'un des plus fameux maîtres des écoles de Notre-Dame, l'évêque Maurice de Sully (1160-1196) est lui aussi un théologien, auteur d'un recueil de sermons très largement diffusé à partir de 1170. Issu d'un milieu modeste, devenu chanoine✦ puis archidiacre de Notre-Dame, il subit l'influence des chanoines réguliers de l'abbaye de Saint-Victor, fondée par Louis VI sur la rive gauche, foyer intellectuel très actif et artisan privilégié d'une réforme soutenue par la papauté qui visait à mettre fin aux intrigues de la noblesse pour s'emparer des biens de l'Église. Personnalité moins bien connue mais tout aussi forte que celle de l'abbé Suger de Saint-Denis, Maurice de Sully se révèle un administrateur hors pair. Soutenu par le pape Lucius III, il réorganise les biens, fiefs et revenus de son diocèse

en plein accord avec le chapitre cathédral. Ses rapports avec le roi de France sont suffisamment étroits pour qu'en 1179 Louis VII convoque au palais épiscopal l'assemblée chargée d'associer à la couronne le futur Philippe Auguste. En 1190, l'évêque de Paris figure au nombre des six exécuteurs testamentaires désignés par le souverain lors de son départ pour la croisade.

3

Le percement de la rue Neuve-Notre-Dame

Le plan audacieux conçu par Maurice de Sully consiste à reconstruire la cathédrale en la déplaçant vers l'est, libérant ainsi une importante surface qui formera un parvis d'une ampleur inusitée. Ce dernier sera pourvu d'un accès solennel grâce à la reconstruction de l'ensemble des bâtiments annexes de la cathédrale et à un remaniement complet de l'organisation religieuse et topographique de la Cité.

L'île est traversée par la rue de la Juiverie qui relie les deux ponts permettant le franchissement de la Seine, le Petit-Pont au sud et le pont Notre-Dame – ou planches Mibrai – au nord. Érigé par Louis VI entre 1113 et 1116, un nouveau pont qui prend le nom de Grand-Pont ou Pont-au-Change, protégé par un châtelet✦, est desservi par la rue de la Barillerie qui passe devant le palais royal. La circulation entre la rue de la Juiverie et la partie orientale de l'île n'est assurée que par une série de ruelles étroites, probablement héritées de la voirie gallo-romaine : Maurice de Sully décide le percement d'une artère de plus de 6 mètres de large reliant la rue du Marché-Palu, qui prolonge la rue de la Juiverie vers le sud, au portail de l'ancienne cathédrale. Pour donner à cette rue toute l'ampleur nécessaire à l'acheminement des matériaux du chantier et à la solennité des processions, on jette aussi à bas les bâtiments de l'hôpital liés à la chapelle Saint-Christophe. Le tracé de la rue Neuve-Notre-Dame est marqué au sol du parvis actuel : ses fondations sont visibles dans la crypte✦ archéologique.

L'Hôtel-Dieu et le palais épiscopal

Le nouvel Hôtel-Dieu✦ destiné aux pèlerins, pauvres et malades, occupe la surface gagnée sur l'amas d'alluvions qui s'étaient accumulées contre le rempart romain le long de la rive méridionale. Des dons du roi, l'engagement de l'évêque et des chanoines à léguer leur literie à l'Hôtel-Dieu, de nombreux dons immobiliers et de revenus permettent assez vite – en tout cas avant 1195 – la construction d'une chapelle et d'une grande salle dite « salle Saint-Denis » parallèle à la Seine. L'accès à cette chapelle se fait par le parvis de la cathédrale, ce qui confirme la place privilégiée donnée à l'établissement hospitalier dans l'organisation du nouveau quartier religieux. La situation

2. Vue du palais
épiscopal médiéval,
avec sa salle,
sa chapelle et
la tour, et du pont
de l'Hôtel-Dieu
- gravure, par Israël
Silvestre, milieu
du XVIIe siècle
(Paris, musée
de Notre-Dame).

2

de l'Hôtel-Dieu vise à en améliorer le confort : il a un accès direct à l'eau de la Seine et bénéficie d'une meilleure exposition au soleil.

La demeure de l'évêque d'avant 1160 n'est connue que par les textes ; elle occupait très probablement l'espace situé au chevet de l'ancienne cathédrale, à l'est de l'île, se situant à la fois près de la Seine et près de l'église.

La construction d'un nouveau palais épiscopal est attribuée avec certitude à Maurice de Sully par l'obituaire✦ du chapitre cathédral. Les textes signalent son utilisation – donc *a fortiori* son achèvement – dès les années 1170. Édifié sur la rive sud de l'île, à l'extérieur du rempart antique, il doit être stabilisé par une série de pieux épais enfoncés très bas, d'où la légende qu'il en fut de même pour la cathédrale. Le palais de Maurice de Sully comprenait une grande salle à deux niveaux prolongée vers l'est par une tour et une chapelle également à deux niveaux. Complétant la grande salle, une haute tour rectangulaire, symbole de la puissance épiscopale, abritait prisons et greniers et peut-être, à l'origine, la chambre de l'évêque. À côté de cette tour, une galerie à deux niveaux faisait la jonction entre le

palais et le chœur de la nouvelle cathédrale ; elle donnait au prélat un accès direct à l'édifice et refermait une cour relativement large entre les deux bâtiments.

Plus qu'un édifice à vocation résidentielle, ce palais était le centre du pouvoir spirituel et temporel de l'évêque : la salle basse accueillait le tribunal de l'officialité✦, dans la salle haute se déroulaient les assemblées synodales✦ et les prestations d'hommage et de serments.

3. Vue cavalière
de l'Hôtel-Dieu
- gravure, par
Manesson Malet,
dans *La Géométrie
pratique*, 1703
(Paris, BNF).

Les bâtiments
encadrent le petit bras
de la Seine à l'ouest
de la cathédrale.

3

Les églises paroissiales de la Cité

Jusqu'au XIIe siècle, l'église cathédrale est la seule église paroissiale de l'île ; les autres édifices religieux, pourtant nombreux, n'ont que le statut de chapelle. C'est, semble-t-il, la volonté épiscopale de libérer l'île des limites imposées par l'enceinte antique qui décide la modification complète du statut de ces lieux de culte. Cette réforme intervient vers 1183, lorsque Philippe Auguste décide l'expulsion des juifs et la confiscation de leur synagogue qu'il donne à l'évêque pour qu'il construise une église à son emplacement. Consacrée à sainte Marie Madeleine, et plus communément appelée la Madeleine-en-la-Cité, elle devient la dernière en date des douze églises paroissiales créées par Maurice de Sully.

Celles-ci sont : Saint-Barthélemy, Saint-Denis-de-la-Chartre, Saint-Pierre-des-Arcis, Sainte-Croix, Saint-Martial, la Madeleine-en-la Cité, Saint-Germain-le-Vieux, Sainte-Geneviève-la-Petite, Saint-Landry, Sainte-Marine, Saint-Pierre-aux-Bœufs et Saint-Christophe. D'autres lieux de culte, comme Saint-Éloi, Saint-Symphorien, Saint-Aignan, Saint-Denis-du-Pas, gardent leur statut de chapelle. Dans ces églises on célèbre surtout les deux sacrements de l'Eucharistie et de la Confession ; baptêmes et funérailles sont célébrés exclusivement à Notre-Dame et à Saint-Jean-le-Rond.

Notre-Dame et la tour du palais épiscopal - miniature de Jean Fouquet, folio du *Livre d'heures d'Étienne Chevalier*, 1452-1460 (New York, The Metropolitan Museum of Art, Robert Lehman Collection).

La cathédrale

Une audace sans précédent caractérise le projet initié par Maurice de Sully et conçu par un architecte de génie dont le nom ne nous est pas parvenu. Les dimensions sont gigantesques : 127 mètres de long sur 40 mètres de large, dont 12,5 mètres pour le vaisseau central et 33 mètres de hauteur sous voûtes. Il faut attendre les grandes cathédrales des années 1230 comme Notre-Dame d'Amiens ou Notre-Dame de Reims pour retrouver des dimensions équivalentes. Notre-Dame de Paris resta jusqu'à la première moitié du XIIIᵉ siècle le plus grand édifice religieux du monde occidental.

L'édifice se compose d'une nef◆ de cinq vaisseaux terminés, sans transept◆ saillant, par un chœur doté d'un double déambulatoire◆. La modernité du plan est accentuée par l'absence de tours détachées de la façade, contrairement au parti généralement adopté au XIIᵉ siècle.

L'élévation du chœur et de la nef comprenait quatre niveaux : grandes arcades, tribunes◆, roses et fenêtres hautes. Les roses, qui ouvraient sur les combles des tribunes et ne contribuaient donc en rien à l'éclairage, étaient ornées de meneaux◆ sculptés dessinant des croix très ornées qui s'apparentaient à des croix◆ de consécration. Les fenêtres hautes, en revanche, semblent avoir été dépourvues de tout remplage◆. Les travaux commencèrent par le chœur, achevé en 1177, à l'exception du voûtement. En 1182, le légat du pape peut consacrer solennellement le maître-autel◆.

L'élévation extérieure semble avoir été prévue dès l'origine comme à la cathédrale Saint-Étienne de Sens et à l'abbatiale Saint-Germain-des-Prés à Paris, avec des arcs-boutants◆ qui ont pour but de faciliter le percement de baies en hauteur. Les dimensions primitives des fenêtres hautes sont toujours lisibles : les colonnettes encore en place ornaient les baies originelles. L'apparence initiale du chevet, avec ses murs minces surmontés d'une large corniche◆ dentelée, toujours visible, et sans la couronne de chapelles ajoutées par la suite, devait être un écho de la sérénité de la façade. Les toitures courbes du collatéral extérieur et des tribunes privilégiaient un mouvement d'enveloppement horizontal nuancé par les volées des arcs-boutants. Seules les fenêtres hautes semblent avoir été dotées d'un décor.

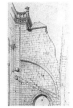

1. Dessin situant les colonnettes des fenêtres hautes primitives et la trace du comble des tribunes - croquis à la plume, par Viollet-le-Duc et Lassus, 1843 (Paris, MAP).

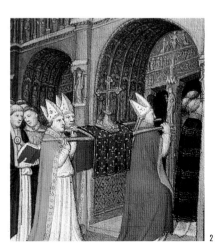

2. Arrivée à Notre-Dame des reliques de la Vraie Croix - miniature du *Bréviaire à l'usage du diocèse de Paris*, vers 1420 (Châteauroux, médiathèque Équinoxe).

XIIIe siècle : le gothique rayonnant

Les premières décennies du XIIIe siècle, sous les épiscopats d'Eudes de Sully (1196-1208), de Pierre de Nemours (1208-1219) et de Guillaume de Seignelay (1220-1223) voient la poursuite du chantier et l'achèvement de Notre-Dame. Alors qu'est entamée l'édification des tours de la façade occidentale, un autre architecte dirige l'érection des dernières travées◆ de la nef, caractérisées par une modification des supports sous l'influence des chantiers contemporains des cathédrales Notre-Dame de Chartres et Saint-Gervais-Saint-Protais de Soissons.

par des terrasses et défonce les murs ainsi dégagés pour agrandir les fenêtres hautes. Celles-ci sont alors dotées d'un fenestrage plus évolué, composé de deux lancettes◆ surmontées d'une rose, à l'exception de celles de la première travée de la nef en raison de la proximité des tours de la façade occidentale.

Ces travaux de grande ampleur s'accompagnent de la dépose complète de la charpente du XIIe siècle et de la réfection de la toiture, avec l'introduction d'un système complexe d'écoulement des eaux pluviales.

2-3. Statues-colonnes du portail Sainte-Anne - d'après une gravure de Bernard de Montfaucon, dans les *Monuments de la monarchie française*, reprise par Alexandre Lenoir, début du XIXe siècle (Paris, MAP).

4. Gisant de l'évêque Eudes de Sully, début du XIIIe siècle - dessin de la collection Gaignières (Paris, BNF).

Les modifications des parties hautes

L'architecture de la cathédrale de Maurice de Sully est profondément modifiée dès les années 1220-1230, probablement en raison de la faiblesse de l'éclairement. L'ensemble des parties hautes est repris par un nouvel architecte partisan du courant esthétique et technique très novateur auquel on a donné le nom de « gothique rayonnant ». Outre la reprise des tours de façade, auxquelles il ajoute une grande coursière◆ ajourée et somptueusement décorée qui les relie en dissimulant le pignon◆ de la nef, l'architecte remplace systématiquement les combles des tribunes

L'agrandissement des bras du transept

Ces travaux sont probablement décidés sous l'impulsion de l'évêque Guillaume d'Auvergne, doté d'une très forte personnalité, maître en théologie et confesseur de la reine Blanche de Castille. L'ampleur du chantier ouvert durant son épiscopat (1238-1249), en accord avec le chapitre cathédral, laisse supposer qu'un projet complet et cohérent de remaniement de l'édifice avait été dressé.

Dès 1241, l'évêque accorde au chapitre la jouissance de la galerie de liaison entre le palais épiscopal et la cathédrale pour y installer le trésor et le dépôt des ornements

1. L'évêque de Cavaillon guérissant les possédés - miniature de Jean Fouquet, folio du *Livre d'heures d'Etienne Chevalier*, 1452-1460 (Paris, musée Marmottan, collection Wildenstein).

Il s'agit d'une vue intérieure du collatéral nord de la nef vers le chœur tel qu'il se présentait au milieu du XVe siècle.

liturgiques. La fermeture de cet accès privilégié de l'évêque à sa cathédrale pourrait donc être mise en relation avec la décision d'allonger les bras du transept et de faire de chaque façade une entrée grandiose, celle du nord destinée aux chanoines, celle du sud à l'évêque et à sa suite puisqu'elle ouvre directement dans la cour du palais épiscopal.

La reconstruction, influencée par le chantier récemment conduit à l'abbatiale de Saint-Denis, commence par le transept, sous la direction de l'architecte Jean de Chelles. Après avoir allongé cette partie de l'édifice d'une demi-travée – environ 4 mètres –, il édifie une façade relativement étroite, percée d'un portail dont le décor sculpté a pour thème la vie de la Vierge. À la mort de Jean de Chelles en 1258, Pierre de Montreuil reprend la construction de la

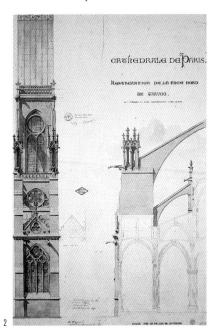

façade du bras sud commencée par son prédécesseur : le décor sculpté du portail, consacré à la vie de saint Étienne, fait preuve d'importantes innovations stylistiques.

Un mouvement continu de création de chapelles s'opère à partir du milieu du XIIIe siècle, en défonçant les murs gouttereaux♦ de la nef pour installer les nouvelles constructions entre les culées♦ des arcs-boutants. On obtient ainsi l'effet d'un mur continu régulièrement percé de baies évoquant un collatéral supplémentaire. La saillie des bras du transept se trouve diminuée d'autant, accentuant ce caractère enveloppant propre à Notre-Dame.

Le chevet

Les nouvelles chapelles sont d'abord établies sur la nef puis le long du chœur et tout autour du chevet, sous la direction de Pierre de Montreuil, puis de Pierre de Chelles et Jean Ravy entre 1296 et 1325. Pierre de Chelles apporte des modifications spectaculaires au chevet, grâce au soutien déterminé de l'évêque Simon Matifas de Buci (1290-1304).

À l'extérieur, les arcs-boutants sont reconstruits selon un tracé nouveau. Toute toiture est supprimée sur les collatéraux et les tribunes ; les baies d'éclairage des tribunes sont agrandies et ornées de gâbles♦ pour ressembler à celles des nouvelles chapelles.

Ces nouveaux aménagements terminés, le monument a acquis son aspect définitif, tel que nous le fait connaître l'iconographie ancienne. À l'intérieur de la cathédrale, ces chapelles sont largement ouvertes sur le déambulatoire.

1. Le jubé à la fin du XVIIᵉ siècle avant sa destruction - dessin, par Robert de Cotte (Paris, BNF).

2. État du chœur au XVIIᵉ siècle - dessin, par Israël Silvestre (Paris, musée du Louvre).

On reconnaît l'autel avec ses courtines, les rangées de stalles et le revers du jubé surmonté de son grand crucifix.

1

Le jubé

Le dernier des grands travaux entrepris à Notre-Dame au XIIIᵉ siècle concerne l'aménagement et la décoration du chœur. Ce décor se composait d'un jubé♦ et d'une clôture de chœur. Une clôture de pierre fermait le sanctuaire♦ du côté du chœur, marquant ainsi la limite entre la juridiction de l'évêque – le sanctuaire – et celle du chapitre – le chœur. Le maître-autel était entouré de riches draperies, avec quatre piliers portant des anges émaillés et peints.

L'ensemble de la clôture est édifié à partir du milieu du XIIIᵉ siècle avec un décor sculpté d'une ampleur et d'une qualité exceptionnelles. Elle est suffisamment renommée à la fin du XIVᵉ siècle pour que Guy de Roye, archevêque de Reims, la propose dans son testament comme modèle pour sa propre cathédrale.

3. Restitution du chœur au XIIIᵉ siècle, par Viollet-le-Duc dans le *Dictionnaire raisonné de l'architecture…*, 1875.

Fausse dans le détail (notamment les escaliers d'accès latéraux), cette restitution reste cependant cohérente et complète.

L'iconographie du jubé était consacrée à la passion du Christ ; un grand crucifix flanqué de deux statues de la Vierge et de saint Jean ornait sa partie centrale au-dessus du portail d'accès. Ce crucifix, pivot et justification de l'ensemble du décor du chœur, était l'une des œuvres les plus admirées de Notre-Dame. De part et d'autre du groupe central étaient représentés les autres épisodes de la

Passion. La thématique de l'ensemble du décor du transept poursuivait celle du jubé. La polychromie rehaussait fortement l'effet d'ensemble de ce décor : elle existait non seulement sur les sculptures du jubé mais aussi sur les moulures et les décors des croisillons♦, avec une harmonie dominante de bleu, rouge et noir. Le reste de la clôture sculptée était consacré à l'enfance et à la résurrection du Christ. Ces éléments ont été considérablement restaurés et repeints au XIXᵉ siècle. La différence stylistique entre le côté nord, plus figé et maladroit, et le côté sud, plus audacieux, avec ses personnages détachés du fond, souligne un décalage chronologique qui conduit au meilleur de la sculpture française sous le règne de Philippe IV le Bel (1285-1314). La clôture de la partie tournante était sculptée dans sa partie inférieure de scènes enfermées dans des quadrilobes, à la manière des enluminures et ivoires contemporains. Ces scènes illustraient la Genèse ainsi que la vie du Christ et de la Vierge. Aux extrémités de cette clôture étaient représentés à genoux ceux qui en avait entrepris la réalisation : l'architecte Jean Ravy et le donateur qui l'avait financée, Pierre du Fayel, chanoine de Notre-Dame entre 1344 et 1351.

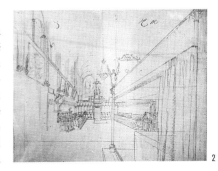

2

XVIᵉ - XVIIIᵉ siècle : les Temps modernes

2. Suite de l'*Histoire du roi* : « Renouvellement de l'alliance entre la France et les Suisses à Notre-Dame de Paris le 18 novembre 1663 » - tapisserie de la manufacture des Gobelins sur le carton de Saint-André d'après Charles Le Brun, fin du XVIIᵉ siècle (château de Versailles).

La cathédrale de Paris n'est pas le lieu du sacre – le seul souverain sacré à Notre-Dame est Henri VI d'Angleterre, le 16 décembre 1430 – et rarement celui des mariages royaux. En revanche, le *Te Deum* de la victoire y est célébré tous les ans à partir de l'entrée de Charles VII, le 12 novembre 1447. D'autres victoires y sont fêtées à leur tour, avec, sous le règne de Louis XIV, la présentation dans la nef des drapeaux pris à l'ennemi. Comme un écho à ces célébrations, avant le départ de la dépouille mortelle pour Saint-Denis, la cérémonie des funérailles royales comporte un service funèbre à Notre-Dame avec un rituel très étudié. La nef et le chœur sont alors entièrement tendus de tissu noir et blanc. Les plus importantes pompes funèbres sont celles des XVIIᵉ et XVIIIᵉ siècles, particulièrement pour le maréchal de Turenne en 1675 et le prince de Condé en 1686.

L'alliance entre la monarchie et la cathédrale est symbolisée par l'assemblée de plus de mille personnes réunie par Philippe le Bel le 10 avril 1302 afin de décider, en opposition ouverte avec le pape Boniface VIII, « de la réforme du royaume et de l'Église gallicane ». Le 18 novembre 1663, c'est avec la même arrière-pensée – donner, grâce à Notre-Dame, une caution religieuse à un acte très politique – que Louis XIV y ratifie solennellement le renouvellement du traité d'alliance avec les Suisses.

La volonté de Louis XIII de vouer son royaume à la Vierge entraîne le remaniement complet du chœur par décision de Louis XIV.

Notre-Dame de Paris fait l'objet au XVIIIᵉ siècle de nombreuses interventions : reconstruction de la façade du bras sud, consolidation de la voûte de la croisée. Elle connaît aussi des « modernisations », tels le

1. La deuxième cour de l'archevêché, avec la sacristie de Jacques-Germain Soufflot, la tour et la chapelle de Maurice de Sully - peinture anonyme, vers 1771 (Paris, musée Carnavalet).

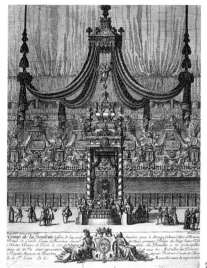

1

2

badigeon de la nef et du chœur, la suppression des pinacles♦ sur le flanc nord, la destruction des gargouilles et des animaux fantastiques des tours, la disparition des vitraux des fenêtres hautes. La cathédrale subit en outre la mutilation du portail central de la façade occidentale, sous la direction de Jacques-Germain Soufflot (1713-1780) – l'architecte de la basilique Sainte-Geneviève, actuel Panthéon –, qui détruit le trumeau♦ et le tiers du tympan♦ du Jugement dernier pour permettre le passage du dais des processions. C'est au même architecte qu'est confiée la reconstruction de la sacristie♦ de Maurice de Sully, qui sépare le palais médiéval des bâtiments plus récents situés autour du chevet et qui abritent les appartements de l'archevêque. L'Hôtel-Dieu, détruit dans un incendie survenu en 1722, est reconstruit au même emplacement dans un style monumental, avec une façade scandée de pilastres♦.

La Révolution détruit systématiquement les statues en pied qu'elle prend pour des portraits royaux : les statues des rois de Juda sur la façade occidentale sont décapitées à la masse puis basculées dans le vide. Un moment transformée en temple de la Raison, privée de sa flèche, Notre-Dame est rendue au culte sous le Consulat. Pour le sacre de Napoléon, le 2 décembre 1804, les architectes Charles Percier et Pierre Fontaine y dressent à l'intérieur et à l'extérieur de somptueux échafaudages, qui en dissimulent habilement la plus grande partie aux regards.

Cette cérémonie marque cependant le renouveau de Notre-Dame comme monument hautement symbolique de la conscience nationale. Les Bourbons, remontés sur le trône, y multiplient les fêtes et cérémonies religieuses – mariage du duc de Berry en 1816, baptême du duc de Bordeaux en 1820. Le chatoiement des décors cache le véritable état du monument, maltraité par les tentatives de restauration maladroites d'Alexandre Brongniart puis d'Étienne Hippolyte Godde.

3

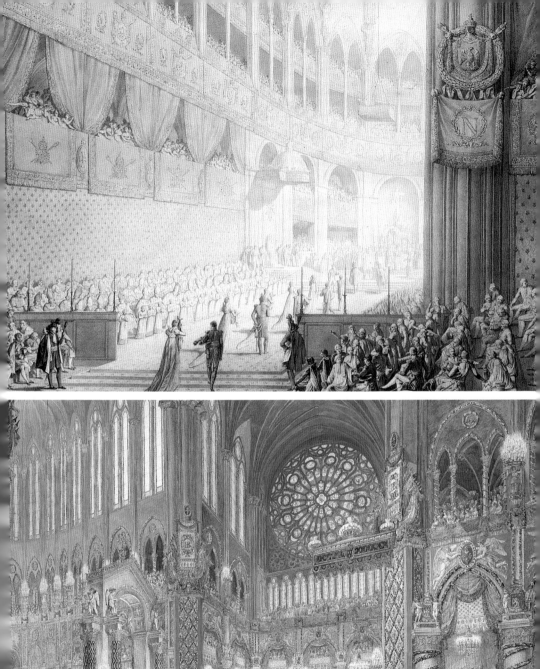

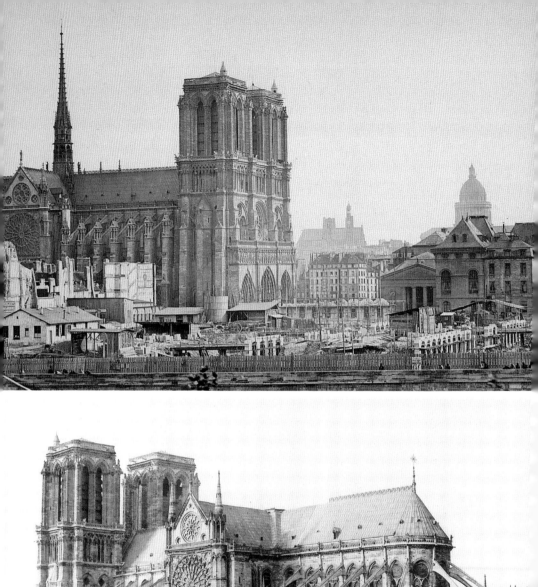

XIXᵉ-XXᵉ siècle : les restaurations

Charles de Montalembert, s'allie aux tenants du renouveau catholique que galvanisent les prêches à Notre-Dame du père dominicain Lacordaire en 1835 et 1836.

En 1843, sous ces pressions conjuguées, un concours est ouvert pour la restauration générale de la cathédrale. Les lauréats sont Jean-Baptiste Lassus (1807-1857) et Eugène Viollet-le-Duc (1814-1879), qui viennent d'assurer la restauration de la Sainte-Chapelle du palais de la Cité à Paris. Leur projet commun est celui d'une consolidation de la cathédrale : « Chaque partie ajoutée à quelque époque que ce soit doit en principe être conservée, consolidée et restaurée dans le style qui lui est propre, et cela avec une religieuse discrétion, une abnégation complète de toute opinion personnelle. » Grâce aux importants crédits votés en 1845 et plusieurs fois renouvelés, le chantier prend une ampleur exceptionnelle, les architectes pouvant s'assurer le concours des meilleurs ouvriers et obtenir des matériaux de très grande qualité.

En 1857, la mort de Lassus laisse à Viollet-le-Duc l'entière direction du chantier. Les découvertes faites en cours de travaux sur les modifications successives apportées à Notre-Dame dès le XIIIᵉ siècle, l'influence grandissante de l'architecte, sa méthode prodigieusement affinée par la rédaction de son *Dictionnaire raisonné de l'architecture française du XIᵉ au XVIᵉ siècle*, publié à partir de 1854, le conduisent à adopter une attitude beaucoup plus interventionniste. C'est ce parti hardi, mais toujours fondé sur une grande rigueur d'observation, de conception et de réalisation, qui donne à Notre-Dame la physionomie qui est encore la sienne.

Hugo, Lassus et Viollet-le-Duc

Sensibilisée à l'art gothique par le musée des Monuments français fondé à la Révolution par Alexandre Lenoir, le *Génie du christianisme* écrit en 1802 par le vicomte François René de Chateaubriand et les *Voyages pittoresques* de Justin Taylor et Charles Nodier, édités à partir de 1821, l'opinion publique découvre la cathédrale dans *Notre-Dame de Paris*. Le roman de Victor Hugo, publié en 1831, connaît immédiatement un énorme succès, grâce à la qualité de l'intrigue et à la puissance d'évocation de l'écrivain.
Ce mouvement en faveur de l'architecture gothique et de la redécouverte du patrimoine national, relayé par Prosper Mérimée, Adolphe Didron – fondateur des *Annales archéologiques* –, Ludovic Vitet – premier inspecteur général des monuments historiques – et, à la Chambre, par le comte

3. Le plomb coulant des gargouilles de Notre-Dame - dessin préparatoire de Nicolas François Chifflart pour *Notre-Dame de Paris*, de Victor Hugo, première édition illustrée, 1876-1877, gouache et rehauts d'aquarelle (Paris, Maison de Victor Hugo).

4-5. Galerie des rois : les architectes Lassus et Viollet-le-Duc se sont fait représenter sous les traits de rois d'Israël et de Juda.

1. Vue du chantier de l'Hôtel-Dieu - photographie de la fin du XIXᵉ siècle (Paris, MAP).

2. Vue du flanc sud de la cathédrale - photographie des frères Louis et Auguste Bisson, vers 1860 (Paris, musée des Monuments français).

NOTRE DAME   ARCHEVECHÉ

Le chantier de la cathédrale

Les pierres abîmées sont purement et simplement remplacées, la sculpture décorative extérieure et intérieure entièrement refaite ou totalement recréée chaque fois que cela est jugé nécessaire par Adolphe Geoffroy-Dechaume d'après les dessins de Viollet-le-Duc. La rose méridionale du transept est démontée et refaite.

La découverte de fragments des roses de l'élévation primitive disparue au XIIIᵉ siècle décide Viollet-le-Duc, malgré de nombreuses critiques, à restituer cette élévation à la croisée du transept – avec plusieurs erreurs récemment mises en lumière. En revanche, il renonce à la restitution du chœur médiéval et laisse en place le décor issu du « vœu de Louis XIII », en prenant soin cependant de dégager le rond-point✦ du sanctuaire de ses placages de marbre.

La souche de la flèche détruite en 1792 est utilisée pour en reconstruire une nouvelle, de 96 mètres de haut, avec une charpente d'une grande qualité d'exécution.

La réalisation de copies en pierre des statues est faite soit d'après des documents anciens – gravures des statues-colonnes du portail Sainte-Anne dans les *Monuments de la monarchie française* de Bernard de Montfaucon –, soit d'après des œuvres des cathédrales de Chartres, Reims ou Amiens. Pour les statues-colonnes, Viollet-le-Duc donne un dessin préalable de chacune d'entre elles à partir duquel est tiré un modèle en plâtre à grandeur, que l'on met en place avant de procéder à la taille de la statue définitive. L'atelier compte quinze sculpteurs, dont plusieurs anciens élèves de David d'Angers ; ils réalisent de cette manière soixante et onze statues. Le portail de la Vierge est le plus fidèle à ce que devait être l'original. C'est

1

1. Façade méridionale de la nouvelle sacristie de Lassus et Viollet-le-Duc - gravure, par Hubon d'après Adams (Paris, MAP).

2-3. Application de compresses humidifiées sur les sculptures lors des derniers travaux de restauration de 1999.

4. Décoration peinte proposée par Viollet-le-Duc pour une chapelle du chœur - relevé de Maurice Ouradou (Paris, MAP).

ainsi que le bestiaire fantastique, tant apprécié des touristes, notamment la fameuse Stryge♦, est totalement recréé. Le gigantesque chantier ouvert en 1847 ne s'achève qu'en 1864, date de la consécration du monument par Mgr Georges Darboy, tout récemment intronisé archevêque de Paris.

L'aménagement urbain

La destruction du palais de l'archevêché puis de la sacristie laisse Notre-Dame isolée au milieu d'un véritable terrain vague pour lequel le concours de 1843 demandait aussi un projet. Dès 1841, Lassus et Viollet-le-Duc proposent de réemployer les vestiges démontés de l'hôtel de Pierre Legendre, trésorier de France, construit au début du XVIe siècle, pour édifier un archevêché à l'extrémité orientale de l'île de la Cité. En 1847, un deuxième projet prévoit un palais plus vaste mais à l'architecture plus conventionnelle ; son abandon conduit Viollet-le-Duc à utiliser certains des éléments prévus pour l'archevêché dans la construction de la sacristie contre le flanc méridional de la cathédrale, à l'emplacement du palais de Maurice de Sully. Organisée autour d'un petit cloître, cette sacristie abrite aussi le trésor de la cathédrale. Sa façade méridionale est traitée dans le style du XIIIe siècle, en accord avec celui des bas-côtés♦ de la cathédrale. Plus à l'ouest, la maison presbytérale montre une volumétrie étudiée qui permet à ce modeste édifice de ne pas être écrasé par Notre-Dame.

La fin du chantier de restauration de Notre-Dame déclenche un profond remaniement de l'île de la Cité sous l'impulsion du baron Haussmann, préfet de Paris. Les rues transversales sont élargies et ordonnées. Entre elles

apparaissent trois édifices disproportionnés : le tribunal de commerce, la caserne de la Cité – actuelle préfecture de police – et l'Hôtel-Dieu. Ces transformations radicales isolent Notre-Dame avec des espaces verts peu travaillés : à l'est et au sud, le square avec la fontaine de la Vierge, à l'ouest une véritable place d'armes où la seule concession à l'Histoire a été de représenter au sol, à l'aide d'un pavage différencié, la rue Neuve-Notre-Dame et les monuments disparus. Seul le quartier canonial, du côté nord, privé de ses portes et de l'église Saint-Jean-le-Rond, donne encore une idée de ce que fut la cité religieuse de Paris.

Le dernier chantier du XXe siècle

Notre-Dame resta au XXe siècle le symbole religieux de la France tout entière, accueillant la célébration de l'armistice de 1918 comme celle de la Libération en 1944. Deux chantiers importants furent ouverts ensuite, entre 1968 et 1970 pour le nettoyage des façades, à partir de 1965 pour la création de la crypte archéologique. Cette dernière permet de remettre en perspective l'histoire du site jusqu'à Maurice de Sully. Une nouvelle grande campagne de travaux a été décidée en 1988 et confiée à partir de 1991 à Bernard Fonquernie, architecte en chef des monuments historiques, pour à la fois remplacer les éléments détériorés et nettoyer l'ensemble de l'édifice.

2 3

inus cum paupere chlamydem dividit + martinus catechumenus hac veste me contexit + parisiis b martinus leprosum osculo mundat

Histoire

Extérieur

Intérieur

Annexes

Nef

La façade occidentale

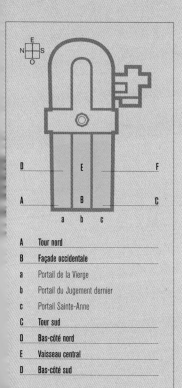

Façade de Notre-Dame
après l'achèvement
des travaux
de nettoyage;
vue prise au début
de l'année 2000.

*Les numéros I à V
dans le texte ci-contre
renvoient à l'élévation
de la façade occidentale
figurant en page 40.*

Cette façade, peu creusée en épaisseur,
est un chef-d'œuvre d'équilibre et de sérénité;
la forte scansion verticale des quatre contreforts♦
est magistralement compensée par la galerie et
la balustrade♦, le tout fondu en une belle unité grâce
à la qualité de la sculpture décorative.

Les trois portails[I] à deux battants donnent accès
à l'édifice; la même distribution est reprise au niveau
supérieur, la présence de la grande rose[III] prolongeant
en quelque sorte le portail central[B] par rapport
aux baies jumelles rassemblées sous un même arc
qui la flanquent.
L'élan des contreforts se renforce de cette
composition des baies jumelles pour soutenir
les tours nord[A] et sud[C], elles-mêmes ouvertes selon
le même esprit à la fois rigoureux et décoratif.
La sensation de verticalité est à la fois tempérée
et accrue par la galerie des Rois[II], qui sert d'assise
au deuxième niveau[III], et surtout par la Grande
Galerie[IV], qui assure la transition vers les tours[V]
et leur équilibre horizontal.

Au début du XIIIe siècle, la galerie des 28 rois d'Israël
et de Juda évoquait à la fois la généalogie du Christ
et le patronage de la dynastie capétienne;
ces souverains étaient représentés avec le costume
et les attributs royaux de leurs homologues
contemporains. Détruites à la Révolution,
ces sculptures furent remplacées, comme les statues
des portails, par des copies d'après les dessins de
Viollet-le-Duc. Certaines têtes du XIIIe siècle, portant
parfois des traces de leur polychromie d'origine,
ont été retrouvées par hasard au cours d'un chantier
de construction en 1977. Elles sont aujourd'hui
exposées à Paris, au musée national du Moyen Âge.
Si Viollet-le-Duc a restitué une galerie homogène
dans le style du XIIIe siècle, il a également respecté
le fait de l'Histoire en ne tentant pas de construire
sur les tours des flèches qui effectivement n'ont sans
doute jamais été lancées.

Le portail du Jugement dernier

Le portail du Jugement[b], consacré à la représentation du Jugement dernier, et le portail de la Vierge[a] reflètent la grande tradition monumentale issue du «style 1200», telle qu'elle s'épanouit sur le chantier de la cathédrale Saint-Étienne de Sens.

Les diverses sensibilités qui nuancent ces réalisations apparemment homogènes permettent de repérer plusieurs personnalités, sans qu'aucun nom puisse jamais être proposé. Le goût de l'un de ces artistes pour la sculpture antique se manifeste dans les curieux petits bas-reliefs des portails, surtout celui qui représente Job sur son tas de fumier au portail du Jugement. Le style de l'auteur des médaillons des Vertus et des Vices découle du précédent, avec un sens plus monumental des visages et du relief.

Le style de ces sculptures se retrouve dans d'autres monuments parisiens comme Saint-Germain-l'Auxerrois et Sainte-Geneviève, mais aussi au portail des grandes cathédrales du Nord de la France, surtout Notre-Dame d'Amiens et Notre-Dame de Reims. Beaucoup des sculpteurs appelés à travailler sur ces cathédrales ont dû recevoir leur formation sur le chantier de Notre-Dame de Paris.

Le portail du Jugement porte aussi sur son tympan la trace d'un changement stylistique considérable survenu dans les années 1230-1240. La différence est éclatante dans le traitement du Christ montrant ses plaies et de l'ange aux clous : l'affirmation du corps physique y est beaucoup plus intense, soulignée par les draperies du vêtement animées de longs plis tombant jusqu'au sol ou cassés en becs saillants au dessin caractéristique. Le modelé du visage est plein d'émotion, barbe et chevelure sont abondamment bouclées, la bouche esquisse un léger sourire. Ces caractères se retrouvent dans les célèbres statues d'apôtres achevées en 1248 pour le décor de la chapelle haute de la Sainte-Chapelle du palais de la Cité à Paris.

1

2

Détails du portail du Jugement dernier :

1. *Saint Michel pesant les âmes*, allégories des supplices des damnés.

2. Vices sur les voussures[+] de droite qui représentent l'Enfer.

Détails du portail
de la Vierge et du
portail Sainte-Anne.

3. Prophètes des
voussures (début du
XIIIᵉ siècle).

4. *Visitation* et *Nativité*
(milieu du XIIᵉ siècle).

5. Buste d'ange
(début du XIIIᵉ siècle).

Le portail de la Vierge

La volonté de mettre en avant clarté et équilibre
a conduit les artistes qui travaillèrent sur le portail
de la Vierge[a] à privilégier la structure d'ensemble
sur la recherche d'effets de style trop affirmés.
Les prophètes de l'Ancienne Loi sont rassemblés
autour de l'Arche d'alliance qui se veut en même
temps la préfiguration du tombeau de la Vierge,
pivot marqué de la mort de celle-ci et de l'enlèvement
de son corps par les anges en présence du Christ
et de tous les apôtres miraculeusement réunis.
C'est dans la représentation du Couronnement
– le Christ bénit sa mère pendant qu'un ange lui
pose la couronne sur la tête – que l'on retrouve avec
le plus de force l'ampleur et l'animation des drapés
ainsi que la sérénité des physionomies.

Le portail Sainte-Anne

Le portail primitif consacré à la Vierge, devenu
portail Sainte-Anne[c], présentait déjà des caractères
originaux : traitement très aigu des drapés, gravité
impérieuse des visages. Ces particularités annoncent
un groupe de sculpteurs d'exception ; la porte des
Valois de l'abbatiale de Saint-Denis, les portails
de la collégiale Notre-Dame de Mantes et,
surtout, la façade occidentale de la cathédrale
Notre-Dame de Senlis témoignent de leur talent.
Le tympan d'origine, regroupant autour d'une
Vierge à l'Enfant d'un hiératisme encore roman
plusieurs personnages mal identifiés – peut-être
le roi Childebert et l'évêque de Paris Germain –,
a été complété : sous le premier linteau✦, qui retrace
l'enfance du Christ, un second évoque la vie des
saints Joachim et Anne, parents de la Vierge.

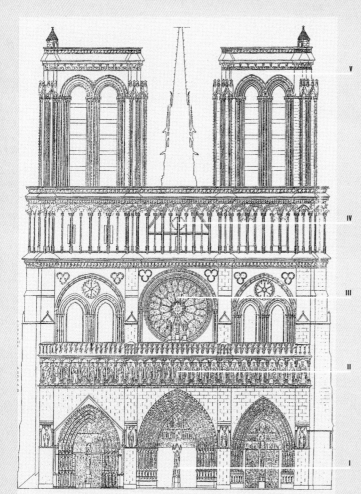

Façade occidentale

I Portails

De gauche à droite

**Portails de la Vierge,
du Jugement dernier,
Sainte-Anne**

Sur les contreforts, de gauche à droite

**Saint Étienne, l'Église,
la Synagogue, saint Denis**

**II Galerie des rois
d'Israël et de Juda**

De gauche à droite

**Joachas, Jehu, Joram, Ochozias, Achab, Amry,
Jambry, Ela, Fraasa, Nadab, Jéroboam,
Isboseth, Saül, David, Salomon, Roboam,
Abraham, Asa, Josaphat, Joram, Ochozias,
Joas, Amasias, Joatham, Achaz, Ezéchias,
Manassé, Amon**

III Grande rose

En avant de la rose, de gauche à droite

**Adam, Vierge à l'Enfant
avec des anges, Ève**

IV Grande Galerie

V Tours

Vue partielle
de la galerie des rois
d'Israël et de Juda.

Portail du Jugement dernier

Portail central

1 Tympan

Le Christ juge avec la Vierge couronnée,
saint Jean et les anges portant
les instruments de la Passion
(clous, lance et croix)

2 Linteau

Supérieur

Saint Michel pesant les âmes

Inférieur

Résurrection des morts

3 Trumeau

Statue

Le Christ enseignant

Socle

Les Arts libéraux : Musique, Grammaire,
Astronomie, Philosophie, Médecine,
Dialectique, Géométrie

4 Piédroits+

Gauche

Les Vierges sages

Droite

Les Vierges folles

5 Ébrasements+

De l'intérieur vers l'extérieur

Gauche

Les saints Pierre (clés),
Jean (calice), André (croix),
Jacques le Mineur (bâton), Simon (livre),
Barthélemy (couteau)

Droite

Les saints Paul (glaive),
Jacques le Majeur (coquilles),
Thomas (règle), Philippe (croix),
Jude (pieu), Matthieu (livre)

6 Médaillons

Gauche

Haut

Les Vertus

De droite à gauche

Foi (croix), Espérance (croix et étendard),
Charité (brebis), Pureté (salamandre),
Prudence (serpent), Humilité (colombe)

Bas

Les Vices

De droite à gauche

Impiété (homme adorant une idole),
Désespoir (homme se transperçant d'une
épée), Avarice (femme près d'un coffre),
Injustice, Folie (homme hagard errant dans
la campagne), Orgueil (homme tombant
d'un cheval fougueux)

Droite

Haut

Les Vertus

De droite à gauche

Courage (lion passant), Patience (bœufs),
Douceur (agneau), Paix (rameau d'olivier),
Obéissance (chameau agenouillé),
Persévérance (couronne)

Bas

Les Vices

De droite à gauche

Lâcheté (homme s'enfuyant devant
un lion en abandonnant son épée),
Colère (femme s'apprêtant
à frapper un moine),
Dureté (femme renversant un serviteur),
Discorde (homme et femme saouls
se battant),
Révolte (homme insultant son évêque),
Inconstance (moine quittant son monastère)

7 Voussures

De l'intérieur vers l'extérieur

Anges, patriarches, docteurs, martyrs,
Vierges

Bas gauche

Abraham recevant les âmes
des élus dans son giron

Bas droite

Démons

Portail de la Vierge

Portail nord, à gauche

1 Tympan

Couronnement de la Vierge

2 Linteau

Supérieur

Ensevelissement de la Vierge

et Assomption

Inférieur

Trois rois et trois prophètes méditant

sur le mystère de Marie

3 Trumeau

Statue

Vierge portant l'Enfant

Socle

Création de la femme,

la Faute, la Punition

Face latérale gauche

Les Saisons

Face latérale droite

Les Âges de la vie

4 Piédroits

Gauche en montant

Verseau (janvier : homme à table),

Poissons (février : voyageur se réchauffant

au coin du feu),

Bélier (mars : paysan taillant sa vigne),

Taureau (avril : paysan regardant

pousser son blé),

Gémeaux (mai : jeune homme partant

pour la chasse),

Cancer (juin : paysan portant

sur son épaule une botte de foin)

Droite en descendant

Lion (juillet : paysan aiguisant sa faux),

Vierge (août : moissonneur fauchant les épis),

Balance (septembre : vendangeur

dans la cuve),

Scorpion (octobre : les semailles),

Sagittaire (novembre : porcher menant

ses bêtes à la glandée),

Capricorne (décembre : paysan tuant

le porc)

5 Ébrasements

De l'intérieur vers l'extérieur

Gauche

Saint Denis tenant sa tête,

entouré de deux anges, Constantin

Droite

Saint Jean Baptiste, saint Étienne,

sainte Geneviève, saint Sylvestre

6 Voussures

De l'intérieur vers l'extérieur

Anges tenant des encensoirs et des cierges,

patriarches, rois, prophètes

Portail Sainte-Anne

Portail sud, à droite

1 **Tympan**

Vierge en majesté tenant
l'Enfant Jésus sur ses genoux

2 **Linteau**

Supérieur

La Présentation de la Vierge au Temple,
l'Annonciation, la Visitation, la Nativité,
les bergers dans la campagne,
le roi Hérode apprenant des Mages
la nouvelle de la naissance du Christ

Inférieur

Joachim et Anne au Temple, rejetés par
le grand prêtre pour stérilité,
Joachim s'expatriant, l'ange lui annonçant
la naissance de la Vierge,
le retour de Joachim, la rencontre
de Joachim et Anne à la porte Dorée,
le miracle de la baguette de Joseph,
le mariage de la Vierge, l'ange annonçant
à Joseph la miraculeuse naissance
du Christ, Joseph implorant de la Vierge son
pardon pour avoir un instant douté d'elle,
le départ de Joseph et Marie pour Nazareth

3 **Trumeau**

Saint Marcel

4 **Ébrasements**

De l'intérieur vers l'extérieur

Gauche

Saint Pierre, Salomon,
la reine de Saba, un roi

Droite

Saint Paul, David, Bethsabée, un roi

5 **Voussures**

De l'intérieur vers l'extérieur

Anges, rois, prophètes,
vieillards de l'Apocalypse

Les cloches

Chargées de rythmer le déroulement de la journée liturgique selon les heures canoniales ainsi que les grandes cérémonies, les cloches étaient installées dans les tours de façade. La tour sud reçut au début du XVe siècle, dans un beffroi✝ de charpente spécialement aménagé pour permettre la manœuvre des deux bourdons, Marie (2,40 mètres, 12,5 tonnes) et Jacqueline, celle-ci refondue en 1684 et baptisée Emmanuel par Louis XIV et Marie-Thérèse. Marie a disparu à la Révolution ; Emmanuel est encore en fonction dans le beffroi reconstitué par Viollet-le-Duc, une construction indépendante de la maçonnerie pour pouvoir absorber les vibrations et secousses causées par la volée des cloches. Elle est également dotée d'abat-sons recouverts de plomb qui la protègent de la pluie.

La tour nord, dès l'origine le véritable clocher de Notre-Dame, est pourvue en 1283 de quatre cloches : la Pugnèse, Chambellan, Guillaume – du nom de l'évêque Guillaume d'Auvergne, son donateur – et Pasquier. Fréquemment réparées et refondues, car leur usure est très rapide, les cloches de Notre-Dame étaient au nombre de seize en 1686, chacune correspondant à une note musicale différente. On compte aujourd'hui cinq cloches (quatre d'entre elles ont été offertes à la cathédrale à l'occasion du baptême du prince impérial en 1856) ; le carillon a été électrifié en 1964.

La manœuvre du gros bourdon Emmanuel (fondu en 1684) lors des fêtes de Pâques 1949 - photographie Jean et Albert Séeberger (Paris, MAP).

1. Deux travées extérieures de la nef : des chapelles sont aménagées entre les contreforts.

2. Maquette de Notre-Dame de Paris avant restauration - plâtre, par Louis Télesphore Galouzeau de Villepin, 1843-1848 (Paris, MAP, en dépôt au musée de Notre-Dame).

Les bas-côtés

La pente du toit des bas-côtés nord**D** et sud**F** fait que l'eau de pluie a tendance à stagner ; un large chéneau✦ porté par une corniche sculptée est ajouté au-dessus de la frise de denticules du XIIᵉ siècle. L'évacuation de l'eau ainsi recueillie est assurée de façon magistrale : les arcs-boutants, désormais creusés de canaux prolongés au niveau des culées, sont terminés par des gargouilles qui crachent l'eau à plusieurs mètres de la façade. Cette solution, d'une grande audace technique, permet de soulager les toits des tribunes transformés en terrasses et de créer un effet de convergence dynamique vers la toiture où se dresse une flèche. Cette dernière, qui ne figurait pas dans le projet originel, se substitue aux flèches prévues pour coiffer les tours et que l'on décida finalement de ne pas réaliser.

Les baies visibles entre les culées des arcs-boutants ont conservé leur dessin du XIIIᵉ siècle ; elles sont flanquées de colonnettes dont l'emplacement permet de se rendre compte qu'au XIIᵉ siècle leur hauteur était moindre. L'ajout de chapelles le long de la nef a créé un effet de mur continu surmonté de gâbles modernes ; ils dissimulent les baies qui éclairent les tribunes mais amoindrissent la perception visuelle de l'élévation latérale de la cathédrale.

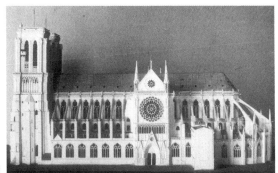

2

Transept

Les bras nord et sud, la flèche

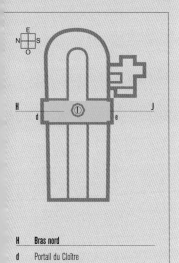

Véritables façades prolongeant d'une travée les bras du transept du XIIᵉ siècle, les bras nord**H** et sud**J** ont été conçus au milieu du XIIIᵉ siècle par l'architecte Jean de Chelles dans le but d'alléger la structure murale tout en laissant entrer davantage de lumière dans l'édifice. Chaque bras est doté d'un portail sculpté de grande ampleur que l'architecte surmonte d'un étagement de lignes horizontales : première balustrade englobant les contreforts, arcature aveugle, arcature vitrée, deuxième balustrade. Cet étagement rigoureux, fortifié par les deux contreforts verticaux qui scandent les extrémités de la façade, conduit à une rose de grandes dimensions – presque 13 mètres de diamètre –, aux écoinçons⁺ inférieurs ajourés, au dessin harmonieux et véritablement « rayonnant ».

Un nouvel architecte, Pierre de Montreuil, succède à Jean de Chelles en 1258 sur le chantier du bras sud. Il introduit un rapport subtil entre le mur et les ornements plaqués, modifie les effets de verticalité grâce à des meneaux unissant arcature plaquée et arcature ajourée, accentue les différenciations au sein de la rose par l'épaisseur des meneaux et crée dans le dessin de ses remplages une audacieuse dynamique en introduisant des arcs garnis de trilobes orientés vers l'intérieur depuis le cadre extérieur.

Viollet-le-Duc fait orner les quatre arêtiers des noues de la flèche**I** de statues en cuivre repoussé des douze apôtres et des quatre figures des évangélistes. Geoffroy-Dechaume se chargea là encore de leur exécution et donna à saint Thomas, patron des architectes, les traits de Viollet-le-Duc lui-même, se retournant pour admirer sa création !

À la base de la flèche, Viollet-le-Duc figuré en saint Thomas.

Le portail du Cloître

Le portail du Cloître**d** du bras nord est lui aussi
réalisé sous l'influence de ce courant que l'on
a quelquefois appelé, par référence au mécénat de
Saint Louis, le «style de cour», dont le développement
se poursuit jusqu'à la fin du XIIIᵉ siècle.

Si les scènes de l'enfance du Christ et du miracle
de Théophile sur les trois registres du tympan
s'abandonnent à une certaine rigidité, celle-ci
se trouve heureusement compensée par une grande
science du traitement des drapés et surtout par
l'infinie délicatesse du traitement des visages.

La figure la plus forte de ce portail est cependant
la Vierge à l'Enfant du trumeau, seule statue épargnée
à la Révolution. Sa silhouette au déhanchement
caractéristique, les plis creusés, animés ou cassés
du manteau, son cou bien marqué par le bijou
sculpté sur sa poitrine, son visage souriant
à l'expression majestueuse et maternelle
se rattachent à la fois à la grande statuaire
monumentale contemporaine et au meilleur
des arts précieux, orfèvrerie et ivoire.

2

1. Tympan du portail
du bras nord
du transept :
histoire du diacre
Théophile
(avant 1258).

2. Vierge à l'Enfant
au trumeau du portail
du Cloître, bras nord
du transept
(avant 1258).

Il s'agit de la seule
sculpture de grande
taille à avoir échappé
aux destructions
révolutionnaires.

1

3. Façade
du transept sud.

4. Médaillons
quadrilobés du portail
Saint-Étienne
du bras sud :
scènes de la vie
des écoles
de Notre-Dame.

5. Tympan du portail
du bras sud
du transept :
scènes de la vie
de saint Étienne
(vers 1260).

Le portail Saint-Étienne

Inaccessible au visiteur, le portail Saint-Étienne[e]
du bras sud conserve un tympan et des voussures
consacrés au martyre de ce diacre, premier patron
de la cathédrale. Il pouvait être utilisé pour
les entrées solennelles de l'évêque.
Le style très monumental des sculptures influença
durablement la sculpture parisienne jusqu'à la fin
du règne de Philippe le Bel (1314).
Les groupes de personnages se détachent
fortement du cadre. Leurs gestes, les jeux de drapés,
leurs physionomies affirmées laissent deviner
l'intervention d'un autre atelier de sculpteurs.
Si les quadrilobes représentant sans doute des scènes
de la vie des écoles de Notre-Dame sont restés
intacts, il faut aller au musée national du Moyen Âge
pour découvrir les statues qui ornaient autrefois
les piédroits et le trumeau de ce portail.
Les statues des ébrasements sont l'œuvre de
Geoffroy-Dechaume. Elles représentent, à gauche,
les saints Pierre, Jean, Jacques, Rustique, Denis et
Éleuthère ; à droite, les saints Jacques, Thomas,
Barthélemy, le roi David, saint Martin et un prophète.

5

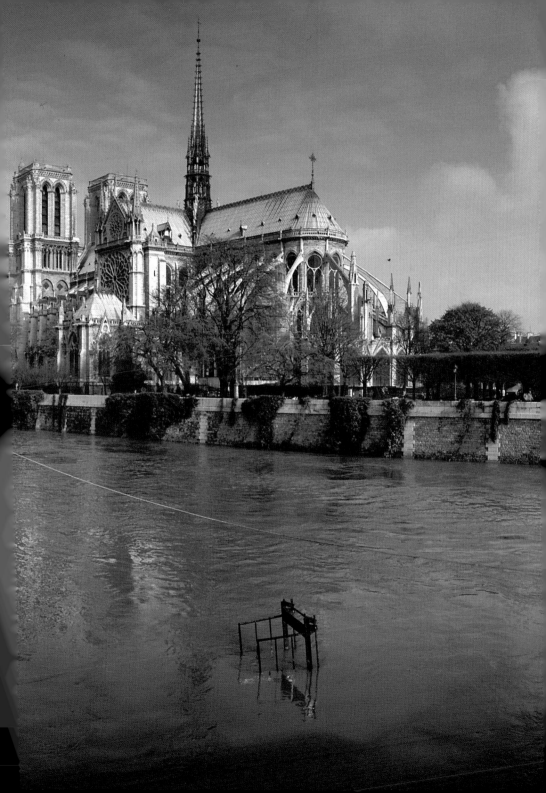

Chœur

La porte des Chanoines, dite « porte Rouge »

Lorsque les grandes cérémonies ne nécessitaient pas l'ouverture du portail consacré à la Vierge, les chanoines utilisaient pour accéder au chœur une petite porte connue de nos jours encore sous le nom de porte Rouge[f] et décorée, semble-t-il, par le même atelier de sculpteurs. La perte des statues des piédroits et des niches voisines rend difficile la compréhension de son iconographie : les voussures portent des scènes de la vie de saint Marcel et le tympan, le Couronnement de la Vierge en présence de deux souverains agenouillés. L'identification de ces personnages royaux avec Saint Louis, près de la Vierge, et Marguerite de Provence son épouse, près du Christ, traditionnellement admise, suggère un appui direct de la royauté au chantier de Notre-Dame malgré l'absence de preuves documentaires.

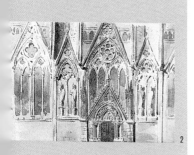

K	Bas-côté nord
f	Porte des Chanoines, dite « porte Rouge »
L	Chœur
M	Bas-côté sud
N	Trésor et sacristie
O	Chevet

1. Vue du chevet.

2. *La Porte Rouge* - dessin, par Charles Percier, fin du XVIIIe siècle (Paris, bibliothèque de l'Institut de France).

On distingue dans les niches les statues détruites à la Révolution.

3. Tympan et voussures dans leur état actuel.

2

1. Le chéneau creusé dans la partie supérieure de l'arc-boutant permet l'évacuation des eaux pluviales jusqu'aux gargouilles.

Médaillons traitant la vie de la Vierge sur le flanc nord du chœur (vers 1320).

2. *Dormition.*

3. *Funérailles de la Vierge.*

Le chevet

Le chevet de Notre-Dame se présente comme une structure étagée, d'une grande qualité décorative, unifiée par les grands arcs-boutants qui enjambent ses ressauts successifs pour se rejoindre sous la toiture et donner à la cathédrale son bel élan harmonieux dont la flèche semble un prolongement.

Sur la partie nord des soubassements, des bas-reliefs présentent des caractères stylistiques très élaborés qui font d'eux de parfaits exemples du meilleur de la production artistique française dans les années 1320. Ils pourraient provenir du décor du tour de chœur et n'avoir été placés là qu'au XVII siècle. Les scènes représentent, dans l'ordre, en partant du nord et en continuant vers l'est : la mort de la Vierge, le triomphe de la Vierge, la Dormition, les funérailles de la Vierge, la Vierge enlevée au ciel par les anges, le Christ couronnant sa mère, deux petits anges jouant de la viole et de l'orgue, la Vierge et saint Jean intercédant pour les pécheurs au jour du Jugement, la légende de Théophile.

3

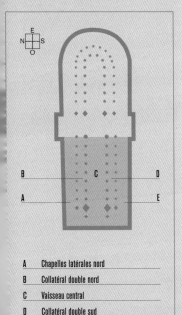

N——S
E
O

B ···· C ···· D

A ······ E

A Chapelles latérales nord
B Collatéral double nord
C Vaisseau central
D Collatéral double sud
E Chapelles latérales sud

Vue du vaisseau
central en direction
du chœur.

Nef

Le vaisseau central, les collatéraux et les chapelles latérales

Notre-Dame de Paris possède une nef de dix travées de long, les deux premières créant un espace spécifique correspondant aux tours et destiné à créer une transition architecturale – probablement aussi liturgique – avec la nef proprement dite.
De chaque côté du vaisseau central[C], le collatéral double, au nord[B] et au sud[D], du projet du XIIe siècle a été complété au XIIIe par une suite continue de chapelles latérales au nord[A] et au sud[E].

L'atmosphère obscure et recueillie qui frappe le visiteur comme le fidèle dès leur entrée dans la cathédrale est un héritage significatif du passé et s'explique par l'insuffisance de lumière fournie par les baies trop étroites et l'ajout de chapelles au déambulatoire double. De nos jours, la poussière soulevée par les douze millions annuels de visiteurs, le chauffage à air pulsé depuis le sol et la fumée des cierges ajoutent à l'assombrissement des parois.

L'élévation comporte un niveau de grandes arcades retombant sur des colonnes, un niveau de tribunes largement ouvertes sur la nef et les fenêtres hautes agrandies au XIIIe siècle.
L'élévation primitive à quatre niveaux, comprenant un étage de roses entre les tribunes et les fenêtres hautes, a été restituée par Viollet-le-Duc à la jonction du transept et du chœur.
On peut également la remarquer au niveau de la première travée de la nef, où la proximité des tours empêcha l'agrandissement des baies au XIIIe siècle.
Plusieurs architectes – sans doute trois – se sont succédé sur le chantier ; ils ont respecté le parti initial tout en accentuant les raffinements de détail dans les effets de verticalité.

Le couvrement de la nef par des voûtes✦ d'ogives sexpartites✦ n'a pas provoqué de modification des supports, constitués de colonnes recevant les retombées des voûtes sur le tailloir✦ du chapiteau. Les colonnettes regroupées par trois filent directement jusqu'aux chapiteaux sculptés à mi-hauteur des fenêtres hautes, créant ainsi un rythme vertical d'une grande efficacité. L'équilibre avec les lignes horizontales est suggéré par les corniches moulurées saillantes à l'aplomb des tribunes et des fenêtres hautes ; la proportion des travées est conservée entre le chœur et la nef grâce au recoupement des baies des tribunes de deux à trois arcades.

On a fait appel, à cet effet, à d'élégantes colonnettes monolithes, taillées « en délit » dans le même lit de pierre, également utilisées pour orner en alternance les piles qui séparent les deux déambulatoires.

1. Collatéral double côté sud.

Les piles intermédiaires sont renforcées par des colonnettes en délit.

2. Parties hautes du vaisseau central et élévation du chœur vues depuis la tribune d'orgue.

2

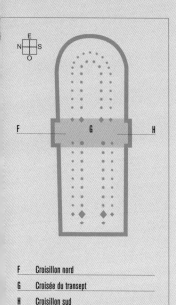

N E S O

F   G   H

F   Croisillon nord

G   Croisée du transept

H   Croisillon sud

1. Vue de la croisée du transept depuis le croisillon nord pendant une cérémonie d'ordination.

2. Revers du croisillon sud.

Les niches entre les gâbles abritaient les statues d'Adam et Ève, qui encadraient celle du Christ bénissant toujours en place.

Transept

La croisée

Volume grandiose et majestueux, où se trouve aujourd'hui l'autel majeur des célébrations liturgiques, la croisée du transept**G** porte l'empreinte du style de deux architectes différents. Les piles du côté du chœur sont en effet constituées par une série de colonnettes alors que celles du côté de la nef sont formées de pilastres redoublés d'une verticalité extrêmement impressionnante et austère.

Les croisillons

Si la présence des tribunes impose que le mur soit percé de baies afin de refermer celles-ci tant du côté du chœur que du côté de la nef, le formidable volume créé depuis la croisée se trouve éclairé par l'évidement des murs qui ferment les croisillons nord**F** et sud**H** et dont les parties basses refusent toute surface plane. Les architectes, particulièrement Pierre de Montreuil au sud, ont en effet traité les revers comme de véritables façades, en plaquant un système décoratif d'arcs, de gâbles et de frises dont un nettoyage effectué il y a quelques années a montré qu'il possédait une polychromie basée sur le bleu, le rouge et le vert.

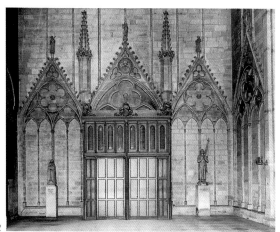

2

Chœur

Profond de quatre travées droites prolongées par une abside, doté lui aussi d'un déambulatoire double amplifié par une couronne de chapelles ajoutées au début du XIVe siècle, le chœur de Notre-Dame présente la même élévation que la nef, y compris les fenêtres hautes agrandies au XIIIe siècle.

Le traitement du voûtement des collatéraux doubles nord**J** et sud**L** du déambulatoire**P** est une des grandes réussites de l'architecte, qui réussit à ne pas multiplier les supports dans la partie tournante et à conserver, grâce à des voûtains triangulaires, l'homogénéité de l'implantation des piles.

L'ampleur des tribunes, identiques à celles de la nef mais simplement desservies par deux escaliers✦ en vis très étroits situés de part et d'autre de l'entrée du chœur, semble liée au fait qu'il s'agit d'une structure destinée davantage à équilibrer le poids de l'élévation qu'à l'accueil des fidèles. Comme les collatéraux et le déambulatoire, les tribunes sont dotées de chapiteaux sculptés au décor floral extrêmement raffiné. Cette sculpture reflète fortement l'influence des grands chantiers immédiatement antérieurs, comme Saint-Denis et Saint-Germain-des-Prés, notamment dans le traitement des rangées de feuillage superposées et l'emploi répété du trépan✦.

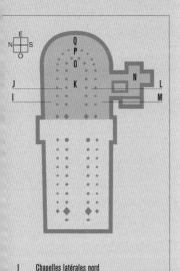

I	Chapelles latérales nord
J	Collatéral double nord
K	Chœur liturgique
L	Collatéral double sud
M	Chapelles latérales sud
N	Trésor et sacristie
O	Sanctuaire
P	Déambulatoire et rond-point
Q	Chapelles de l'abside

1. Élévation du chœur.

2. Voûtes triangulaires du déambulatoire conçues pour compenser la partie tournante.

2

Décor et mobilier

Le tour de chœur

Il subsiste de la cathédrale du XIIIᵉ siècle certaines petites sculptures d'anges qui prolongeaient dans les bras du transept le récit du jubé. Le revers du bras sud possédait également, dans des niches, les statues d'Adam et Ève ; celle d'Adam, magnifique nu du milieu du XIIIᵉ siècle, est conservée au musée national du Moyen Âge – les jambes sont des restaurations.

Les remaniements successifs du chœur ont laissé en place les éléments de la clôture sculptée correspondant aux travées droites.
Dans le collatéral nord, d'est en ouest, sont représentées des scènes de l'enfance du Christ et du début de la Passion : l'Enfance du Christ, la Visitation, l'Annonce aux bergers, la Nativité, l'Adoration des Mages, le Massacre des Innocents, la Fuite en Égypte, la Présentation, Jésus au milieu des docteurs, le Baptême du Christ, les Noces de Cana, l'Entrée du Christ à Jérusalem, la Cène, le Lavement des pieds, le Jardin des Oliviers.
Dans le collatéral sud, d'ouest en est, figurent les différentes apparitions du Christ après la Résurrection : à la Madeleine, aux trois Marie, à Pierre, aux disciples d'Emmaüs, aux apôtres, à Thomas, à Pierre sur le bord du lac de Tibériade, aux apôtres en Galilée, sur le mont des Oliviers.

Malgré une polychromie restaurée avec excès, ces sculptures évoquent avec bonheur la qualité exceptionnelle qui était celle du jubé.

2

1. Scènes de la Résurrection, du côté sud du tour de chœur.

La riche polychromie remonte aux travaux de restauration effectués au milieu du XIXᵉ siècle par le sculpteur Caudron et le peintre Maillot.

2. *Adam* - sculpture provenant du revers de la façade du bras sud du transept (Paris, musée national du Moyen Âge).

3. *L'Entrée du Christ à Jérusalem*, détail de la partie nord de la clôture de chœur.

3

Le «vœu de Louis XIII»

Pour saluer la maternité d'Anne d'Autriche, qui donne naissance au futur Louis XIV, le roi Louis XIII met solennellement la France, ainsi que lui-même et la Couronne, sous la protection de la Vierge. Dans sa déclaration du 10 février 1638, il annonce sa volonté de concrétiser ce vœu par la reconstruction du maître-autel de Notre-Dame de Paris. En attendant, il décide que se tiendra le 15 août une procession du Vœu et offre à la cathédrale le célèbre tableau de Philippe de Champaigne.

C'est en 1699 seulement que Louis XIV décide de réaliser le vœu de son père. Il demande un projet à Jules Hardouin-Mansart, son Premier architecte ; le manque de moyens et les nombreuses critiques qu'il encourt le contraignent à l'abandon. L'impulsion définitive vient du chanoine Antoine de La Porte, qui offre au roi une importante somme d'argent pour commencer les travaux, exécutés de 1708 à 1714 sous la direction de Robert de Cotte, nouveau Premier architecte. Le chanoine meurt avant la fin des travaux qui débutent par la destruction de la clôture du sanctuaire et du jubé, déjà considérablement modifié à l'initiative d'Anne d'Autriche. Un caveau destiné aux archevêques de Paris est creusé sous le chœur qui est ensuite entièrement pavé de marbres de diverses couleurs avec, dans un médaillon, les armes du roi.

Le nouveau maître-autel, accessible par trois degrés, est orné d'un ostensoir, d'un crucifix et de six chandeliers commandés à l'orfèvre Claude Ballin. Au fond du sanctuaire, dont les colonnes sont revêtues de plaques de marbre formant une arcature en plein cintre ornée de trophées et de Vertus en bronze doré, est disposé en 1723 le groupe de la *Pietà* sculpté par Nicolas Coustou, dominé par une grande gloire dorée d'où pend le ciboire de la suspense⁺ eucharistique. Autour du groupe sont placés, adossés aux piliers, six anges de bronze portant les instruments de la Passion, dus à Antoine Vassé.

1. *Le Vœu de Louis XIII*
- huile sur toile,
par Philippe
de Champaigne, 1637
(Caen, musée des
Beaux-Arts).

2-3. Les statues
de Louis XIV,
par Antoine Coysevox,
et de Louis XIII,
par Guillaume Coustou
- marbre, 1715.

4. *Pietà*,
par Nicolas Coustou
- marbre, 1723.

De chaque côté sont installés le priant en marbre de Louis XIII offrant sceptre et couronne à la Vierge, par Guillaume Coustou, et celui de Louis XIV, par Antoine Coysevox.

Le chœur est fermé par de superbes grilles et les stalles sont remplacées d'après les dessins de Robert de Cotte et d'autres artistes. Leurs dossiers sont ornés de scènes de la vie de la Vierge : la Présentation, le Mariage, l'Annonciation, la Visitation, la Nativité, l'Adoration des Mages, la Circoncision, la Purification, la Fuite en Égypte, les Noces de Cana, la Vierge au pied de la Croix, la Descente de Croix, la Pentecôte, l'Assomption. Les figures allégoriques représentent la Prudence, la Modestie, la Douleur. Les chaires✦ épiscopales, décorées de scènes de la vie de saint Denis et de saint Germain, sont sculptées d'après Vassé.

L'espace disponible au-dessus des stalles ayant été réduit, le chapitre cathédral fait déposer la fameuse tenture de la *Vie de la Vierge,* tissée à Paris d'après des cartons de Philippe de Champaigne, Charles Poerson et Jacques Stella, réalisée en 1657 grâce aux subsides offerts par le chanoine Michel Le Masle, secrétaire du cardinal de Richelieu. Cette tenture, vendue à la cathédrale de Strasbourg où elle se trouve toujours, est remplacée par une suite de tableaux offerts par le chanoine de La Porte en 1717 et dus aux meilleurs peintres.

Le 23 avril 1714, le cardinal de Noailles célèbre la messe dans le nouveau chœur enfin rendu au culte : son aspect ne présente plus aucun caractère qui puisse rappeler la cathédrale médiévale.

2

3

1. Élévation du chœur avec les stalles et les tableaux qui les surmontaient - planche de *L'Architecture française* de Jacques François Blondel, 1767 (Paris, musée de Notre-Dame).

2. Grilles du chœur du ferronnier François Caffieri - gravure, XVIIIe siècle (Paris, BNF).

3. Vue partielle des stalles sculptées d'après les dessins de Robert de Cotte.

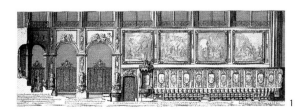

1

4

4. *Messe du cardinal de Noailles*
- gravure,
par Bernard Picard,
début du XVIIIᵉ siècle
(Paris, BNF).

5. *Messe du chanoine de La Porte*
- peinture,
par Jean Jouvenet,
1708 (Paris, musée du Louvre).

Cette scène dépeint un état idéal du chœur qui ne fut jamais réalisé.

Les destructions révolutionnaires imposèrent à Viollet-le-Duc de choisir, pour la restitution du chœur, entre son état d'avant 1793 et un état médiéval disparu depuis longtemps. Il adopta un compromis en conservant les éléments statuaires du Vœu – y compris les stalles, le pavage et les grilles du chœur – tout en redonnant aux supports leur état du XIIᵉ siècle et en faisant rétablir la polychromie de la clôture sculptée qui subsistait au revers des stalles. Il conserva également la très belle *Vierge à l'Enfant* sculptée du XIVᵉ siècle provenant de Saint-Aignan et placée à Notre-Dame après la Révolution.

Une touche plus contemporaine a été ajoutée en 1989 avec la mise en place à la croisée du transept d'un nouvel autel créé par Paul Touret.

5

Les «mays»

Les grandes confréries des corps de métier trouvaient place à Notre-Dame : celle des cordonniers, sous le patronage des saints Crépin et Crépinien, y est présente à partir de 1379. Celle des orfèvres offre à Eudes de Sully la grande châsse de saint Marcel qu'elle porte par privilège durant les processions. En 1449, les orfèvres fondent la confrérie de Sainte-Anne et de Saint-Marcel, qui élit chaque année deux «princes du may verdoyant» chargés de faire un don à la Vierge : d'abord un arbre, puis un autel de feuillage ou un tabernacle✦ d'orfèvrerie enrichi de sonnets en l'honneur de la Vierge ainsi que des objets de dévotion.

À partir de 1533, ces objets sont remplacés par de petits tableaux retraçant des épisodes de l'Ancien Testament puis, à partir de 1608 et jusqu'en 1673, par des scènes de la vie de la Vierge. À la fin de l'année, ces tableaux deviennent propriété de leur commanditaire. En 1630, ce don se trouve complété par un tableau de grande taille, représentant un sujet tiré des Actes des Apôtres, dit «grand may», qui reste propriété de la cathédrale. Cette coutume s'exerce tous les ans – sauf en 1683 et 1684 – jusqu'en 1707, gratifiant ainsi Notre-Dame de 76 tableaux réalisés par les plus grands peintres du Grand Siècle, tels Georges Lallemant, Lubin Baugin, Claude Vignon, Sébastien Bourdon, Laurent de La Hyre, Simon Vouet, Eustache Le Sueur, etc.

Ces mays étaient accrochés dans des chapelles, mais aussi dans la nef, au niveau des tailloirs des colonnes des grandes arcades. L'arrêt de ces dons après 1707 semble dû à un problème de place. Cet ensemble exceptionnel est aujourd'hui dispersé entre plusieurs églises parisiennes et collections publiques, notamment le musée des Beaux-Arts d'Arras, mais quatorze de ces tableaux sont actuellement présentés dans les chapelles latérales et les croisillons de Notre-Dame de Paris.

1

1. *L'Annonciation*
- carton pour
une tapisserie
de la tenture de
la *Vie de la Vierge*,
par Charles Poerson
(Arras, musée
des Beaux-Arts).

2. *La Prédication
de saint Paul à Éphèse*
- huile sur toile,
par Eustache
Le Sueur,
may de 1649
(dépôt du musée
du Louvre).

Nef

Chapelles du collatéral sud

1   *La Lapidation de saint Étienne* (1651),
    par Charles Le Brun

2   *Le Martyre de saint André* (1647),
    par Charles Le Brun

3   *Le Crucifiement de saint Pierre* (1643),
    par Sébastien Bourdon

4   *La Prédication de saint Pierre à Jérusalem* (1642),
    par Charles Poerson

5   *Le Centurion Corneille aux pieds de saint Pierre* (1639),
    par Aubin Voüet

6   *La Conversion de saint Paul* (1637),
    par Laurent de La Hyre

7   *Saint Pierre guérissant les malades par son ombre* (1635),
    par Laurent de La Hyre

Chapelles du collatéral nord

8   *Les Fils de Sceva battus par le démon* (1702),
    par Mathieu Elyas

9   *Le Prophète Agabus prédisant à saint Paul
    ses souffrances à Jérusalem* (1687),
    par Louis Chéron

10 *Saint André tressaille de joie
    à la vue de son supplice* (1670),
    par Gabriel Blanchard le Neveu

11 *La Flagellation de saint Paul et de saint Silas* (1655),
    par Louis Testelin

12 *Saint Paul rend aveugle le prophète Barséju
    et convertit le proconsul Sergius* (1650),
    par Nicolas Loir

13 *La Descente du Saint-Esprit sur les apôtres* (1634),
    par Jacques Blanchard

Transept
Croisillon nord

14 *La Prédication de saint Paul à Éphèse* (1649),
    par Eustache Le Sueur

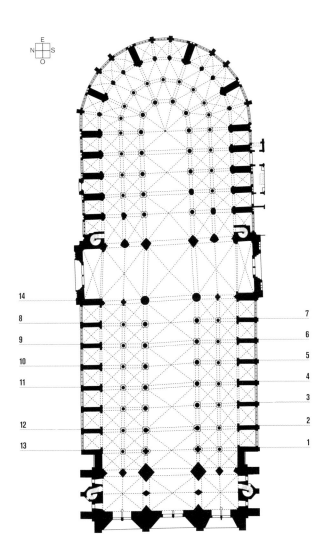

La Nef de Notre-Dame
- peinture de l'école
hollandaise, milieu
du XVIIᵉ siècle
(Paris, musée
de Notre-Dame).

Cette vue exceptionnelle
montre les mays
accrochés aux tribunes.

Iuuenel des Orlins chlr baron de trainel et conseiller du roy sire sire qui trepassa a poitiers lan de grace mil cccc xxxi le pmier iour dauril 3ō de palais. & dame Michelle de Vitri sa fame ē espasa a

x pieds

Chapelles et tombeaux

Au XIIIᵉ siècle, les chapelles latérales et absidioles se multiplient, car de plus en plus de familles créent des fondations qui assurent une rente à un chapelain pour célébrer l'office, à un autel particulier, en mémoire d'un défunt. Le nombre de ces fondations augmente encore au XIVᵉ siècle, jusqu'à la guerre de Cent Ans. Le décor de ces chapelles, qui comportaient un autel, un luminaire plus ou moins abondant selon l'importance des fondations, des statues, tableaux, reliquaires du saint patron de la chapelle et certainement un important décor mural, ne nous est pas parvenu. Viollet-le-Duc s'est attaché dans certaines chapelles du chœur à en restituer l'esprit, avec l'aide de son gendre Maurice Ouradou ; il s'agit pour l'essentiel de récits hagiographiques*, dont certains sont peints par Louis Steinheil et Adolphe Napoléon Didron.

De nombreux évêques et archevêques de Paris furent inhumés dans ces chapelles. Il subsiste le gisant de l'évêque Simon Matifas de Buci († 1304), dépouillé de ses ornements polychromes, et la peinture de l'enfeu*, considérablement restaurée. Les tombes des chanoines étaient presque toutes constituées de dalles gravées, souvent de grande qualité. Il n'en existe plus là encore qu'un exemple, la tombe du chanoine Étienne Yvert († 1468).

2

3

1. Priants de Jean Juvénal des Ursins et de Michelle de Vitry, son épouse
- dessin à la plume et aquarelle, XVIIᵉ siècle, collection Gaignières (Paris, BNF).

Ces sculptures restaurées ont été remises en place.

2. Gisant et enfeu de l'évêque Simon Matifas de Buci
- dessin à la plume et aquarelle, XVIIᵉ siècle, collection Gaignières (Paris, BNF).

3. Jean Ravy, architecte, sculpté sur la clôture de chœur
- dessin à la plume et lavis, collection Gaignières (Paris, BNF).

4. La famille Juvénal des Ursins
- tableau votif provenant de l'ancienne chapelle Saint-Remi, huile sur bois (Paris, musée du Louvre, dépôt au musée national du Moyen Âge).

4

Certaines des chapelles abritaient le tombeau de leur fondateur : on peut encore voir dans la chapelle Saint-Remi les priants, très restaurés, de Jean Juvénal des Ursins et de son épouse, qui étaient à l'origine accompagnés d'un tableau les représentant avec leurs onze enfants. Les chapelles du chœur abritent également les monuments funéraires d'Albert de Gondi, cardinal de Retz, et de son frère Pierre, évêque de Paris, ainsi que le célèbre mausolée sculpté en 1774 par Jean Baptiste Pigalle pour le comte Henri Claude d'Harcourt.

D'autres monuments sculptés ornaient la nef de Notre-Dame au Moyen Âge : les plus renommés étaient la statue équestre de Philippe le Bel, ex-voto⁺ commémoratif de sa victoire sur les Flamands à Mons-en-Pévèle (1304), détruite en 1792 et, surtout, la grande statue de saint Christophe, offerte par Antoine des Essarts, conseiller de Charles VI, à la suite d'un vœu fait en 1413. Le donateur s'était également fait représenter, agenouillé, sur une colonne adossée à la première pile de la nef.

2

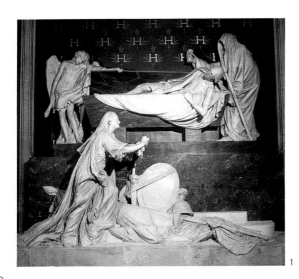

3

1. Mausolée du comte Henri Claude d'Harcourt - marbre, par Jean Baptiste Pigalle, 1774.

2. Dalle funéraire du chanoine Étienne Yvert, mort en 1468 - bas-relief en pierre représentant le défunt entre saint Jean l'Évangéliste et saint Étienne qui le présentent au Christ de l'Apocalypse.

3. Statue équestre de Philippe le Bel - gravure d'après Nicolas Cochin (Paris, BNF).

1

Nef

Collatéral sud

1 *Calvaire*

2 *Saint Éloi*

3 *Christ en croix*

Collatéral nord

4 *Vierge* (XVIIIᵉ siècle)

5 *Chanoine Yvert*,
conseiller au parlement († 1468)

6 *Cardinal Amette*,
archevêque de Paris († 1920),
par Hippolyte Lefebvre

7 Fonts baptismaux avec saint Jean Baptiste,
par Bachelet, d'après Viollet-le-Duc (XIXᵉ siècle)

8 *Vierge*, par Antoine Vassé (1722)

Transept

9 *Notre-Dame de Paris*,
anonyme (XIVᵉ siècle)

10 *Saint Denis*,
par Nicolas Coustou (1722)

Chœur

Chœur liturgique et sanctuaire

11 Six anges (1712-1713) porteurs des instruments
de la Passion (couronne d'épines, roseau, clous,
éponge, inscription et lance)

12 *Louis XIII*, par Guillaume Coustou (1715)

13 *Pietà*, par Nicolas Coustou (1723)

14 *Louis XIV*, par Antoine Coysevox (1715)

Chapelles

15 *Mᵍʳ Affre*, archevêque de Paris († 1848),
par A. de Bay aîné

16 *Mᵍʳ Sibour*, archevêque de Paris († 1857),
par J. Dubois et J. Lescorné

17 *Jean Juvénal des Ursins* († 1431)
et *Michelle de Vitry* († 1451)

18 *Comte Henri Claude d'Harcourt*,
par Jean-Baptiste Pigalle (1774)

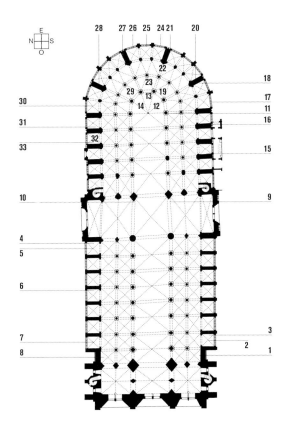

19 *Cardinal Verdier*, archevêque de Paris († 1940),
par Navarre

20 *Mᵍʳ d'Arbois*, archevêque de Paris († 1871),
par J.-M. Bonnassieux

21 *Saint Georges terrassant le dragon*, par J. Lescorné

22 Socle de la statue de Simon Matifas de Buci († 1304)

23 Enfeu de Simon Matifas de Buci

24 *Cardinal Pierre de Gondi*, évêque de Paris († 1622)

25 *Notre-Dame des Sept Douleurs*,
par Corbon (XIXᵉ siècle)

26 *Albert de Gondi*, duc de Retz,
maréchal de France († 1602)

27 *Cardinal de Belloy*, archevêque de Paris († 1809),
par L.-P. Deseine (1818)

28 *Mᵍʳ de Quélen*, archevêque de Paris († 1839),
par Geoffroy-Dechaume (1852)

29 *Cardinal Suhard*, archevêque de Paris († 1949),
par Navarre

30 *Cardinal de Noailles*, archevêque de Paris († 1729),
par Geoffroy-Dechaume (1862)

31 *Mᵍʳ de Juigné*, archevêque de Paris († 1816),
d'après Viollet-le-Duc (1865)

32 *J.-B. de Budes de Guébriant*,
maréchal de France († 1643), et son épouse
Renée de Bec-Crespin, d'après Viollet-le-Duc

33 *Mᵍʳ de Beaumont*, archevêque de Paris († 1871),
par Geoffroy-Dechaume (1862)

2

Le mobilier liturgique et les orgues

Un architecte aussi soucieux du détail que Viollet-le-Duc ne pouvait qu'accorder beaucoup d'importance au décor mobilier. C'est ce qui le pousse à interpréter l'art médiéval plutôt qu'à réaliser des copies serviles ; son *Dictionnaire du mobilier* est le fruit de sa réflexion à la fois archéologique et utilitaire, influencée par les travaux de Victor Martin et de Didron.

Viollet-le-Duc entreprend de créer un mobilier entièrement nouveau à l'usage du chœur de Notre-Dame ; il s'agit aussi pour lui de convaincre le fidèle de la qualité du langage artistique médiéval. Il s'inspire d'objets célèbres comme le siège épiscopal de Notre-Dame de Bayeux, le pied de croix de Notre-Dame de Saint-Omer, l'armoire du trésor de Notre-Dame de Noyon ou le grand candélabre en bronze de Saint-Remi de Reims. Traitant pour la réalisation avec deux orfèvres, Placide Poussielgue-Rusand et Alexandre Chertier, il s'associe avec eux pour diffuser un catalogue des modèles créés pour Notre-Dame, tant dans le domaine de l'orfèvrerie liturgique – ciboires, calices, ostensoirs, burettes – que dans celui des objets mobiliers – lutrin, candélabre, autel avec sa garniture, reliure d'évangéliaire, croix et lanterne de procession, etc.

Si Viollet-le-Duc est aussi l'auteur du dessin de la menuiserie de l'orgue du chœur – qui ne sera réalisé qu'en 1966 –, les grandes orgues de la cathédrale ont conservé leur buffet sculpté du XVIIIe siècle. L'instrumentation a été reconstruite en 1863 par Aristide Cavaillé-Coll, qui en a fait l'un des plus grands instruments d'Europe : elle a été rattachée en 1992 à un ordinateur pour permettre la numérisation des commandes tout en conservant clavier et pédalier. Cette modernisation répondait aux vœux de Pierre Cochereau, son titulaire, disparu en 1984, qui fut après Louis Vierne, titulaire de 1900 à 1937, le plus fameux organiste de Notre-Dame.

Les vitraux

Les vitraux des roses du transept sont les parties
les mieux conservées de la vitrerie ancienne
de Notre-Dame, en grande partie détruite
au XVIIIe siècle.
La rose nord reprend le thème traité à la rose nord
de la cathédrale de Chartres : la Vierge vénérée
par les prophètes, juges, rois et grands prêtres
de l'Ancien Testament, mais avec un nombre
de personnages encore jamais atteint. Au traditionnel
accord bleu-rouge s'ajoute un emploi nouveau
du blanc, du jaune et du vert.

La rose sud, qui souffre dès le XVe siècle de graves
problèmes de stabilité, est reconstruite de 1725
à 1727 aux frais du cardinal de Noailles et sous
la direction de Germain Boffrand. Le maître verrier
Guillaume Brice introduit alors de nombreux
fragments anciens provenant de son atelier comme
bouche-trous. En 1861, Alfred Gérente reprend
cette restauration, sous la direction de Viollet-le-Duc,
mais laisse en place ces rajouts dont on ignore
toujours l'emplacement originel. L'iconographie
semble liée au programme sculpté des voussures
du portail Saint-Étienne, avec une composition
d'anges, confesseurs, martyrs et apôtres organisée
autour de Dieu le Père en majesté.

Après avoir fait entièrement restaurer la rose
de la façade occidentale, Viollet-le-Duc confie
la création des vitraux des fenêtres hautes du chœur
et du transept à une équipe de praticiens déjà
formés à l'imitation du style du XIIIe siècle.
Steinheil et Gérente, aidés par Didron, réalisent
de véritables pièces « archéologiques » dans
les chapelles, la sacristie et le trésor. La vitrerie
de Notre-Dame n'est complétée qu'en 1965 par
les verrières non figuratives de Jacques Le Chevallier,
à dominantes bleue et rouge, mises en place dans
les baies des tribunes et les fenêtres hautes de la nef.

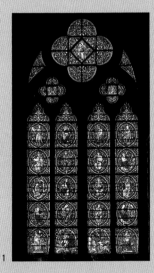

1

1. Verrière
de la généalogie
de la Vierge dans
la chapelle d'axe,
milieu du XIXe siècle.

2. Rose nord
du transept, milieu
du XIIIe siècle.

Trésor

1. Reliquaire
du Saint Clou
- dessin aquarellé,
projet de Viollet-
le-Duc, réalisé par
Poussielgue-Rusand,
milieu du XIXᵉ siècle
(Paris, MAP).

2. Colombe pour
les Saintes Huiles
- bronze émaillé,
par Alexandre
Chertier, d'après
Viollet-le-Duc,
après 1865.

3. Reliquaire de la
Sainte Couronne
d'épines
- bronze et pierres
précieuses,
par Placide
Poussielgue-Rusand,
d'après Viollet-le-Duc,
1862.

Le trésor de la cathédrale a entièrement disparu
du fait de la Révolution.

Les pièces insignes que le trésor abrite aujourd'hui
sont arrivées par la suite : ainsi de la Croix palatine,
qui provient de l'abbaye parisienne de Saint-Germain-
des-Prés et conserve encore une partie de sa monture
d'orfèvrerie au nom de Manuel Iᵉʳ Comnène,
empereur byzantin du XIIᵉ siècle. Plusieurs pièces
d'orfèvrerie du début du XIXᵉ siècle sont des dons
de souverains, comme la Vierge par Odiot,
offerte en 1826 par Charles X, ou de prélats,
comme la chapelle◆ de vermeil du cardinal Morlot,
par Jean-Charles Cahier, qui voisinent avec
les portraits et souvenirs des archevêques de Paris.

Une armoire-vitrine, conçue par Viollet-le-Duc
et ornée de panneaux peints de scènes de la vie de
Saint Louis, abrite les pièces d'orfèvrerie antérieures
à la Révolution, notamment un calice exécuté
au XVIᵉ siècle dans la péninsule Ibérique et portant
les armes du cardinal de Noailles, plusieurs œuvres
d'origine parisienne réalisées au XVIIᵉ siècle,
comme l'aiguière et le plateau ayant appartenu
à Mᵍʳ de Belloy († 1808) et deux bouquetiers en
argent doré portant le poinçon d'un orfèvre
d'Augsbourg de la fin du XVIᵉ siècle.

Les reliques de la Passion qu'abritait la Sainte-
Chapelle – dont la Couronne d'épines qui, selon
le vœu de Saint Louis, n'est présentée aux fidèles
qu'à Pâques – furent déposées à Notre-Dame en
1806. Deux reliquaires de la Sainte Couronne sont
présentés dans les vitrines du trésor ; l'un d'eux
a été réalisé en 1806 par Cahier ; l'autre, dessiné par
Viollet-le-Duc, fut exécuté par Poussielgue-Rusand.
De nombreux reliquaires, calices, objets et ornements
liturgiques, offerts à Notre-Dame par différents
pontifes, prélats et souverains, sont exposés
dans la salle du trésor et la salle capitulaire◆.
La chemise de lin et la discipline◆ de Saint Louis
s'y sont ajoutées en 1970.

Chronologie

XIIᵉ siècle

1160   Début des travaux par l'évêque Maurice de Sully.

1177   Achèvement du chœur et de son double bas-côté mais sans la couverture.

1179   Consécration du chœur, par le légat du Saint-Siège, le 19 mai.

1185   Office pontifical dans le chœur entièrement livré au culte, le 17 janvier.

1196   À la mort de Maurice de Sully, la nef, sauf les premières travées, est terminée. On travaille à la toiture.

XIIIᵉ siècle

1208   Achèvement de la façade avec les trois portails. Sculpture de la porte de la Vierge.

1210   Élévation de la première travée double de la nef et des travées correspondantes des bas-côtés.

1220   Façade jusqu'à l'étage de la rose. La grande façade s'élève jusqu'à la base de la galerie à jour.

1225   Construction de la rose occidentale et des baies des tours qui la flanquent.

1230   Sculpture de la porte du Jugement. Chapelles de la nef.

1235-1250   Troisième chapelle au sud de la nef.

1236   Élévation de la tour sud. Salle pour agrandir le trésor.

1240   Chapelle Saint-Michel. Élévation de la tour nord.

1241   Eudes, légat du Saint-Siège, défend de recevoir les sans-abri pour la nuit dans les grandes salles des tours de Notre-Dame.

1245   Achèvement des tours et de la galerie haute entre les deux tours.

1250   Construction de la rose du transept nord, commencement du croisillon nord par Jean de Chelles.

1252   Deuxième chapelle au nord de la nef, dédiée à saint Georges et saint Blaise.

1254   Chapelle Saint-Eustache.

1258   Pose de la première pierre du croisillon sud.

1265   Chapelle Sainte-Anne, première au sud de la nef.

1266   Troisième chapelle au nord de la nef.

1267   Construction de la petite porte Rouge, sous la fenêtre de la troisième travée du chœur.

1270   Construction de la rose du transept sud, restaurée en 1726.

1288   Construction en cours de la chapelle Saint-Jean-Baptiste-et-Sainte-Madeleine à l'est de la porte Rouge.

1291-1304   Construction des trois chapelles d'axe du chœur par Pierre de Chelles et Jean Ravy ; du nord au sud : Saint-Louis, Saint-Rigobert, Saint-Nicaise.

XIVᵉ siècle

1310   Construction des trois chapelles du chœur, côté sud, dédiées à saint Étienne, saint Crépin, saint Crépinien, saint Jacques.

1312   Trois chapelles du chœur, côté nord : Sainte-Foy, Saint-Eutrope, Décollation-de-Saint-Jean-Baptiste.

1316   Construction des deux chapelles suivantes, côté sud, dédiées à saint Pierre, saint Paul, saint Remi.

1318   Construction des chapelles du côté nord, dédiées à saint Ferréol et saint Férutien, saint Michel, saint Martin, sainte Anne.

1320   La ceinture des chapelles qui enveloppe la cathédrale est terminée.

1333-1338   Achèvement des nouvelles chapelles du chœur, des piliers surmontés de clochetons et d'épis qui les flanquent. Établissement d'un pinacle au croisillon sud.

1351   Achèvement de la clôture du chœur.

XVIIIe siècle

1708-1714   Construction d'un maître-autel pour répondre au vœu de Louis XIII.

1726   La couverture est entièrement refaite. Reconstruction des deux autels face à la nef, celui de la Vierge au sud, celui de saint Denis au nord.

1728   Reconstruction de la voûte au carré du transept. Le cardinal de Noailles fait blanchir tout l'intérieur de Notre-Dame.

1730   Réfection de la vitrerie de la rose ouest.

1741   Destruction de neuf vitraux du chœur, remplacés par des vitraux blancs.

1744-1748   Destruction des gargouilles, chimères, pinacles et fleurons des contreforts et des galeries des tours.

1765-1767   Crypte creusée sous la nef pour recueillir les corps des chanoines défunts.

1767   La porte du Cloître est refaite par l'architecte Boffrand.

1769   Exécution du carrelage en marbre de la cathédrale, remplaçant le pavement ancien en pierre de liais et les pierres tombales.

1771   L'architecte Soufflot entaille le tympan du portail central pour laisser passer le dais des processions et supprime le trumeau et les piédroits.

1779   Destruction des crochets et des clochetons de la porte Saint-Étienne.

1780   Nouveau badigeonnage de la cathédrale.

1793   Destruction des statues des rois de la façade occidentale, des statues des niches et des grandes figures des portails.

XIXe siècle

1812   Restauration du mur des chapelles du nord de la nef.

1817-1819   Remplacement de plusieurs travées de la couverture de plomb.

1831   Sac de la cathédrale et de l'archevêché.

1845-1864   Campagne de restauration menée par Lassus et Viollet-le-Duc.

1864   Dédicace de la cathédrale après l'achèvement des travaux de restauration le 31 mai.

XXe siècle

1918   Célébration de l'armistice.

1944   Célébration de la Libération.

1965   Création de la crypte archéologique.

1968   Campagne de nettoyage de la façade.

1985   Nettoyage du chœur et du transept.

1991-2000   Restauration d'ensemble de la cathédrale sous la direction de Bernard Fonquernie.

Glossaire

Abside
Extrémité du volume intérieur du chœur, de forme incurvée ou à pans.

Arc-boutant
Arc de pierre extérieur, appuyé sur un massif de maçonnerie, constitué par la culée, épaulant les parties hautes d'un mur tendant à se déverser sous les poussées d'une voûte.

Archidiacre
Dignitaire ecclésiastique exerçant au nom de l'évêque une juridiction sur les curés du diocèse.

Balustrade
Rangée de balustres portant une tablette d'appui.

Bas-côté
Collatéral peu élevé encadrant le vaisseau central de la nef, du transept ou du chœur.

Basilique
Église longitudinale, à bas-côtés et fenêtres hautes.

Beffroi
Construction portant des cloches, généralement en bois ; par extension, la tour-clocher.

Capitulaire
Relatif aux assemblées d'un chapitre.

Cathédrale
Église où siège l'évêque, lieu de célébration des fêtes majeures et du sacre des évêques, qui s'y font inhumer ; elle est l'église-mère du diocèse.

Chaire épiscopale
Siège de l'évêque dans le chœur de l'église.

Chanoine
Prêtre attaché au service de la cathédrale, collaborant aux différentes missions relevant de l'évêché. Il y a aussi des chanoines réguliers, qui suivent une règle monastique, et dont les églises sont des collégiales ou des abbatiales.

Chapelle
Ensemble des objets du culte utilisés pour la célébration de la messe.

Chapitre cathédral
Communauté de chanoines assurant l'office divin et administrant autrefois les biens du diocèse.

Châtelet
Petite porte fortifiée.

Chéneau
Gouttière.

Chevet
Face extérieure de l'abside et, par extension, ensemble des constructions situées au-delà du transept.

Chœur
Partie de l'église réservée au clergé, située entre le transept et l'abside ; parfois synonyme de chevet et de sanctuaire.

Contrefort
Massif de maçonnerie saillant, généralement extérieur et perpendiculaire à un mur, servant à le renforcer.

Corniche
Saillie moulurée ou sculptée couronnant un édifice et servant à protéger ses murs de la pluie.

Coursière
Galerie.

Croisillon
Bras du transept.

Croix de consécration
Croix généralement tracée par l'évêque lors de la consécration de l'église, sur plusieurs emplacements.

Crypte
Construction voûtée à demi enterrée, généralement placée sous le sanctuaire de l'église.

Culée
Massif de maçonnerie situé au-dessus d'un contrefort et destiné à maintenir les arcs-boutants.

Déambulatoire
Espace de circulation entourant l'abside et reliant les bas-côtés du chœur.

Diacre
Clerc n'ayant pas encore reçu la prêtrise.

Discipline
Instrument pour se flageller afin d'expier ses fautes.

Ébrasement
Élargissement progressif d'une baie vers l'intérieur ou l'extérieur.

Ecclesia
Assemblée des croyants.

Écoinçon
Espace triangulaire dans l'angle formé par la courbure d'un arc et par le mur qui lui est contigu.

Enfeu
Niche funéraire à fond plat, ouverte par une arcade dans le mur d'une église.

Escalier en vis
Escalier tournant en hélice autour d'un noyau qui soutient toutes les marches.

Ex-voto
Objet portant une inscription, déposé en remerciement de la réalisation d'un vœu.

Flèche
Comble pyramidal d'un clocher.

Gâble
Petit fronton de pierre, ajouré et décoré de crochets ou de fleurons, servant dans l'architecture gothique à masquer les combles et à terminer les arcs en ogive surmontant les ouvertures.

Gouttereau (mur)
Mur extérieur sous les gouttières.

Groupe épiscopal
Ensemble des bâtiments servant aux activités spirituelles et temporelles de l'évêché.

Hagiographique
Relatif au récit de la vie d'un saint.

Hôtel-Dieu
Hôpital principal d'une ville.

Jubé
Clôture monumentale formant souvent une galerie surélevée séparant le chœur liturgique de la nef. Il sert de lien avec les fidèles : la lecture des Saintes Écritures y est faite.

Lancette
Fenêtre simple en arc brisé.

Linteau
Pièce horizontale formant la partie supérieure d'une ouverture et soutenant la maçonnerie.

Maître-autel
Autel principal contenant les reliques.

Marguillier
Laïc chargé de la garde et de l'entretien d'une église.

Meneau
Montant ou traverse de pierre partageant une fenêtre en compartiments.

Nef
Partie de la cathédrale entre la façade occidentale et la croisée du transept.

Obituaire
Registre donnant la liste des défunts pour lesquels sont célébrés des services funèbres.

Officialité
Organisme juridique dépendant de la curie diocésaine.

Piédroit
Montant vertical de porte supportant un arc ou un linteau.

Pignon
Partie supérieure triangulaire d'un mur dont le sommet porte le bout du faîtage d'un toit.

Pilastre
Support de section rectangulaire engagé dans la maçonnerie ou dans un pilier.

Pinacle
Ornement d'architecture surmonté d'une pyramide simulant un clocheton.

Portail
Porte monumentale.

Remplage
Réseau de pierre garnissant l'intérieur d'une fenêtre ou d'une rose, dans le style gothique.

Rond-point
Partie du déambulatoire placée entre le sanctuaire et la chapelle axiale de l'abside.

Rose
Grand vitrail circulaire.

Sacristie
Annexe de l'église où sont conservés les objets et vêtements nécessaires au culte et où le prêtre se prépare avant l'office.

Sanctuaire
Partie de l'église où se trouve le maître-autel, correspondant au chœur liturgique, c'est-à-dire à l'espace réservé au clergé.

Sexpartite
Voûte d'ogives composée de trois arcs ogifs qui permettent de voûter les travées de plan carré.

Stryge
Créature fantastique mi-femme, mi-chienne.

Suspense
Censure ecclésiastique portant sur les bénéfices et les pouvoirs d'un clerc ou d'un prêtre.

Synodal
Ayant trait au synode ; l'assemblée synodale est une assemblée ecclésiastique convoquée par l'évêque pour discuter des affaires du diocèse ou de problèmes généraux de l'Église.

Tabernacle
Édicule où sont conservés le vin et les hosties pour l'Eucharistie.

Tailloir
Partie supérieure du chapiteau qui supporte l'entablement.

Transept
Partie transversale de l'édifice formée d'une croix et de deux bras, ou croisillons, saillants ou non.

Travée
Élément répétitif du volume d'un édifice délimité par ses supports ou marqué par des ouvertures régulièrement superposées.

Trépan
Instrument en forme de vilebrequin pour percer la pierre.

Tribune
Étage au-dessus des collatéraux, épaulant le mur de la nef ; dans ce cas, la tribune a la même largeur que le bas-côté qu'elle surmonte. Il y a aussi des tribunes transversales, notamment pour les tribunes d'orgue.

Trumeau
Pilier qui supporte en son milieu le linteau d'un portail.

Tympan
Dans un portail, surface comprise entre le linteau et l'arc ou voussure.

Vaisseau
Espace allongé de l'intérieur d'un bâtiment voûté.

Voussure
Arc d'encadrement d'un portail.

Voûte d'ogives
Voûte constituée de quatre quartiers ou plus, reposant sur des arcs saillants entrecroisés, qui constituent les ogives proprement dites.

Illustration page 88
La Stryge, créature diabolique dessinée par Viollet-le-Duc pour la galerie de la tour Nord au XIXᵉ siècle.

Bibliographie

Sources

Baron (Françoise),
« La partie orientale détruite du tour du chœur de Notre-Dame de Paris », *Revue de l'art*, n° 128, 2000, p. 11-29.

Bruzelius (Caroline),
« The Construction of Notre-Dame in Paris », *Art Bulletin*, vol. LXIX, 1987, p. 540-569.

Collectif,
Les Grandes Heures de Notre-Dame de Paris, cat. exp. Paris, Service des Monuments historiques, 1947.
Notre-Dame de Paris 1163-1963, cat. exp. Paris, Direction des Archives de France, 1963.
« Dossier : Notre-Dame de Paris », *Monumental*, octobre 2000, p. 8-87.

Davies (Michael),
« Splendor and Peril : the Cathedral of Paris, 1290-1350 », *Art Bulletin*, vol. LXXX, mars 1998, p. 34-66.

Murray (Stephen),
« Notre-Dame de Paris and the Anticipation of Gothic », *Art Bulletin*, juin 1998, p. 229-253.

Salet (Francis),
« Notre-Dame de Paris. État présent de la recherche », *La Sauvegarde de l'art français*, 1982, p. 89-113.

Taralon (Jean),
« Observations sur le portail central et sur la façade occidentale de Notre-Dame de Paris », *Bulletin monumental*, n° 149 (1991), p. 341-432.

Monographies

Aubert (Marcel),
La Cathédrale Notre-Dame de Paris, notice historique et archéologique, Paris, Firmin-Didot, 1945.

Auzas (Pierre-Marie),
Les Grandes Heures de Notre-Dame de Paris, Paris, TEL, 1951.
Notre-Dame de Paris. Le trésor, Paris, Nouvelles éditions latines, [v. 1963].

Du Colombier (Pierre),
Notre-Dame de Paris, mémorial de la France, Paris, Plon, 1966.

Erlande-Brandenburg (Alain),
Notre-Dame de Paris, Paris, Nathan/CNMHS, 1991.

Généralités

Chevalier (Michel),
La France des cathédrales du IVe au XXe siècle, Rennes, Ouest-France Université, 1997.

Du Colombier (Pierre),
Les Chantiers des cathédrales, Paris, Picard, 1973.

Erlande-Brandenburg (Alain),
La Cathédrale, Paris, Fayard, 1989.
Quand les cathédrales étaient peintes, Paris, Gallimard, collection « Découvertes », 1993.

Esquieu (Yves),
Quartier cathédral. Une cité dans la ville, Paris, Remparts, 1994.

Focillon (Henri),
Art d'Occident. Le Moyen Âge roman et gothique, Paris, Flammarion, 1983 (première édition, 1938).

Grodecki (Louis),
Architecture gothique, Paris, Gallimard/Electa, collection « Histoire de l'architecture », 1992.

Kimpel (Dieter) et Suckale (Robert),
L'Architecture gothique en France, 1140-1270, Paris, Flammarion, 1990.

Leniaud (Jean-Michel),
Les Cathédrales au XIXe siècle, Paris, Economica, 1993.

Prache (Anne),
Cathédrales d'Europe, Paris, Citadelles et Mazenod, 1999.

Recht (Roland), dir.,
Les Bâtisseurs des cathédrales gothiques, (cat. exp.) Strasbourg, Musées de la Ville de Strasbourg, 1989.

Sauërlander (Willibald),
Le Siècle des cathédrales, 1140-1260, Paris, Gallimard, collection « L'univers des formes », 1989.

Coordination éditoriale ------------------------------
------------------------------------- Vincent Bouvet

Coordination iconographique -------------------------
------------------------------------- Claude Malécot

Correction --
------------------------------------- Philippe Rollet

Suivi de fabrication ----------------------------------
------------------------------------- Carine Merse

Couverture --
-------------- Atelier de création graphique, Paris

Conception graphique ---------------------------------
--- Delfe, Paris

Maquette et mise en page -----------------------------
------------------------------- Delfe + Fred, Paris

Photogravure --
------- Scann'Ouest, Saint-Aignan-de-Grand-Lieu

Impression --
------------------------- Néo-Typo, Besançon, France

Dépôt légal ------------------------------- juillet 2007